晨讀10分鐘

漫畫語文故事集

故事文本篇【練習本】

作者　曾世杰、陳淑麗、蘇春華、賴琤瑛
漫畫　胡覺隆、呂家豪

目錄

使用說明

　　這是一個「低指導需求」的練習本，大多數孩子打開內容就知道該怎麼做，即使是沒有教學專業的家長或志工，也可以輕易完成指導。讓孩子讀過《漫畫語文故事集》後，可以依據自己的時間和能力安排，挑戰練習本中各種語文技能的練習題，得到最好的學習效果。

　　練習本配合每篇故事，有以下各種類型的練習項目，其設計目的如下：

　　1.文章結構表：藉由簡單問答幫助孩子發現文章的架構，進而更理解文章內容。

　　2.朗讀流暢性：這是閱讀理解的最佳預測指標，鼓勵孩子多次計時，看看自己是否能越讀越快。

　　3.生字習寫：針對常用的同部件字，進行生字的拆解、書寫及造詞填空的練習，同時增加詞彙量。

　　4.生字寶果：讓孩子在遊戲中再次熟悉目標生字的書寫。

　　5.語詞學習與複習：以多選一的練習幫助孩子瞭解詞彙的意義和用法。孩子們最愛的圈詞練習，可以在遊戲氛圍中，增加目標語詞的練習次數。

　　6.閱讀理解：有三至四個層次不同的提問，可在閱讀文章後檢視自己是否讀懂文章。

　　7.寫作訓練：搭配文章內容進行修辭、連接詞、標點符號等寫作技巧的練習。

　　8.故事分享：讓孩子練習把讀完的故事說給同儕或大人聽，以提升口語能力。

　　小叮嚀：練習本一定可以提升孩子的讀寫能力，但請陪伴孩子閱讀的師長們特別注意，實施時千萬「不要打壞閱讀胃口」。可以針對孩子的能力，選擇適當的項目給孩子練習，不一定每一項都要做喔。

1 丹尼上山

文章結構表 ✏

請依照文章，完成下列的文章結構表。

主角	本課的主角是誰？ □ 1.校長　　□ 2.丹尼
起因	引發這個問題的原因是什麼？ 丹尼在電視上看到石磊國小缺英文老師。
問題	丹尼遇到什麼問題？ ✏ 他想去山上當 _____ 老師。
經過	為了解決問題，丹尼做了哪些事情？請你依照發生的順序，填入 1、2、3。 □ 小朋友和丹尼都很開心，很努力。 □ 他打電話到學校應徵，校長答應了。 □ 他每星期一早上騎六十公里的腳踏車去一千七百公尺高的石磊國小上英文課。
結果	結果怎麼樣？（有兩個答案） □ 1.山上的小朋友得到全縣比賽第一名。 □ 2.丹尼因為騎腳踏車太累而滿身大汗。 □ 3.丹尼在三年中累積騎了一萬兩千多公里。

丹尼上山

　　丹尼住在新竹，他是一個美國人。　　15
有一天，丹尼在電視 新聞 中看到石磊　　31
國小沒有英文老師。石磊國小位於海拔　　48
一千七百公尺高的高山上，山路很危　　64
險，沒有人要去當英文老師。　　77

　　丹尼想：「我可以去山上當英文老　　92
師啊！」他打電話去石磊國小。校長高　　109
興的說：「太好了，小朋友有英文老師　　126
了。」不過，丹尼不是開車去的，也不是　　144
騎機車去的，他是騎腳踏車去的。每星　　161
期一早上四點，天還沒有亮，他就騎腳　　178
踏車出門了。他 經過 小路和小橋，經　　194
過小山和大山。他下雨天騎，下雪天也　　211
騎。去石磊要騎六十公里，回程也要騎　　228
六十公里。當他騎到一千七百公尺高的　　245
石磊國小，已經滿身大汗了。　　258

　　山上的小朋友笑得好開心， 因為 　　272
他們要上英文課了。丹尼很努力，小朋　　289
友和丹尼一樣也很努力。他們努力學英　　306

6

文，還獲得全縣英文歌唱比賽第一名。 323

三年來，丹尼已經騎了一萬兩千多公 339

里了！ 342

流暢性訓練 —— 記錄表

請用計時器測量30秒朗讀的字數，並記錄在表格裡。

第一次讀	第二次讀	第三次讀	第四次讀	第五次讀
字	字	字	字	字

 如果你30秒唸110字以上，你超級厲害！

 如果你30秒唸95字以內，可以多練習幾次。

生字學習

✏️ 請看「雷」的示範並練習。

生字		練習	練習	部件組合	造詞（遮住生字寫）
雷	ㄌㄟˊ	雷	雷	雨、田	雷、雷公
電	ㄉㄧㄢˋ				□ ㄉㄧㄢˋ 話、閃 □ ㄉㄧㄢˋ
雪	ㄒㄩㄝˇ				下 □ ㄒㄩㄝˇ、□ ㄒㄩㄝˇ 人
聞	ㄨㄣˊ				新 □ ㄨㄣˊ、聽 □ ㄨㄣˊ
開	ㄎㄞ				□ ㄎㄞ 門、□ ㄎㄞ 心
橋	ㄑㄧㄠˊ				天 □ ㄑㄧㄠˊ、吊 □ ㄑㄧㄠˊ
樣	ㄧㄤˋ				模 □ ㄧㄤˋ、□ ㄧㄤˋ 子
踏	ㄊㄚˋ				□ ㄊㄚˋ 步、腳 □ ㄊㄚˋ 車
路	ㄌㄨˋ				馬 □ ㄌㄨˋ、□ ㄌㄨˋ 燈

生字遊戲——賓果學習單

1. 找父母或同學跟你一起玩賓果吧！
2. 請在右方表格寫下生字：雷、電、雪、聞、開、橋、樣、踏、路。
3. 請你們輪流唸生字並圈起來。
   ★ 進階玩法：可以將生字造詞。
4. 最先連成三條線的人獲勝！

雷		

✏️ 請把適合的語詞填在句子裡。

1. 他澈底改變壞習慣，他＿＿＿＿＿＿＿不是以前的他了。

經過／已經

2. 南迴火車從屏東枋寮到臺東，沿途會＿＿＿＿＿＿＿許多隧道。

經過／已經

3. 他從老師那邊＿＿＿＿＿＿＿稱讚，所以非常開心。

獲勝／獲得

4. 最近＿＿＿＿＿＿＿氣候不穩定，許多人因此感冒了。

可是／因為

5. 電視＿＿＿＿＿＿＿會報導世界各地發生的事情。

新聞／新鮮

6. 石磊國小在＿＿＿＿＿＿＿一千七百公尺高的高山上。

海拔／海平面

✏️ 請把適合的內容填在短句裡。

1. 因為我昨天晚上肚子突然劇痛，所以今天

＿＿＿＿＿＿＿＿＿。

做什麼事

2. 球賽已經快要開始了，卻＿＿＿＿＿＿＿＿。這下

發生什麼事

該怎麼辦呢？

9

找一找：請圈出格子內的語詞，並再讀一次語詞後，將綠框內的語詞刪除。

開心、新聞、經過、回程、因為、海拔、已經、獲得、
危險、滿身大汗

新	成	又	身	預	為	回	上	回	海
獲	選	險	汗	危	已	新	山	程	癒
聞	心	津	得	聞	險	另	安	過	天
回	拔	開	心	獲	經	又	杰	得	汗
經	身	癒	今	大	滿	精	新	聞	因
程	過	危	另	得	身	開	過	汗	程
汗	開	海	因	為	大	獲	開	大	過
已	險	大	回	安	汗	得	已	海	危
經	得	因	新	海	已	險	身	身	拔

✏️ 請根據文章內容選出最適合的答案， 要讀完每一個選項才能作答喔。

1. (　　) 丹尼是哪一個國家的人？
   ①石磊　　②新竹　　③美國　　④臺灣

2. (　　) 為什麼沒有人要去石磊國小當英文老師？
   ①因為學校很冷，會下雪
   ②因為學校在山上，山路很危險
   ③因為山上的小朋友很不努力
   ④因為山上小朋友不喜歡英文

3. (　　) 校長接了電話後，為什麼說「太好了」？
   ①因為終於有英文老師了
   ②因為小朋友英文歌唱比賽第一名
   ③因為下雪了
   ④因為學校上電視了

4. (　　) 為什麼丹尼要在早上四點出發去學校？
   ①因為他怕晒太陽　　　②因為學校很遠
   ③因為他有早起的習慣　④因為早上會塞車

5. (　　) 這個故事最令人驚奇的理由是什麼？
   ①沒人要去石磊國小教書
   ②石磊國小很遠
   ③丹尼三年來騎一萬兩千公里路去石磊國小
   ④學生參加英文歌唱比賽得第一名

寫作訓練——短句仿寫

請完成下列句子。

1. 丹尼騎腳踏車去石磊國小。

   我 ＿＿＿＿＿＿＿＿＿ 去上學。
   走路、搭車、騎車、坐公車

2. 他在石磊國小教英文課。

   我在操場 ＿＿＿＿＿＿＿＿＿ 。
   跑步、遊戲

3. 不論下雨天、下雪天，他都會去國小教課。

   不論 ＿＿＿＿＿＿＿＿＿ ，我都會把功課寫完。
   功課多少、多想睡覺

4. 他努力騎腳踏車上山，小朋友也努力學英文。

   爸爸媽媽努力工作，孩子們也努力

   ＿＿＿＿＿＿＿＿＿ 。
   用功、讀書

 故事分享

請跟其他人分享故事，並請他們簽名。

聽完故事，你覺得怎麼樣？	請簽名
☑很好聽 □還不錯 □聽不懂 □其他	蘇小華
□很好聽 □還不錯 □聽不懂 □其他	
□很好聽 □還不錯 □聽不懂 □其他	

② 杰生和老虎

文章結構表 ✏

請依照文章，完成下列的文章結構表。

主角	本課的主角是誰？ □ 1.杰生　　□ 2.爸爸
起因	杰生為什麼會有小老虎？ 杰生的爸爸在樹叢裡發現一隻小老虎，並把牠帶給杰生。
經過	以下是杰生和小老虎的互動過程，請你依照發生的順序，填入 1、2、3、4。 □ 杰生養這隻小老虎，杰生會餵牠牛奶和肉並跟牠玩。 □ 杰生經常去動物園看牠並跟牠玩。 □ 後來，杰生去上大學，有三年沒去動物園。 □ 小老虎長大後，大家都怕牠，只好送給動物園。
結果	結果怎麼樣？ □ 1.三年後，杰生再度去動物園看老虎並跟牠玩，但工作人員說他認錯了。 □ 2.三年後，杰生再度去動物園看老虎並跟牠玩，但工作人員說他的老虎不見了。

杰生和老虎

　　杰生的爸爸在印度的熱帶叢林裡　　14
工作。有一天，他看見前面的樹叢裡面　　31
有個東西動個不停。他撥開樹叢一看，　　48
原來是一隻小老虎。小老虎用清澈的　　64
灰藍色眼睛看著他，「喵～喵～」的叫著。　　83

　　爸爸把牠帶回家給杰生，並告訴　　97
他：「這隻小老虎是你的了。」杰生幫牠　　115
取了一個名字叫做「來福」。杰生餵來福　　133
喝牛奶，杰生餵來福吃肉，杰生經常　　149
拉著牠的尾巴玩。來福長得好快，體型　　166
越來越大。後來來福長大了，大家都很　　183
怕牠，杰生和爸爸只好把來福送給動　　199
物園。杰生經常去看來福，他喜歡把手　　216
伸進籠子裡和牠玩，拉牠的尾巴。　　231

　　後來，杰生去上大學，再度回到　　245
動物園看來福時，已經是三年以後了。　　262
來福看起來不太一樣，變成一隻強壯　　278
的大老虎。杰生把手伸進籠子裡和大老　　295
虎玩，還拉牠的尾巴。旁邊的工作人員　　312

嚇壞了！他說：「這是上個星期送來的另 330
一隻野老虎，你的老虎已經換到另一個 347
籠子裡了。」 353

流暢性訓練 — 記錄表

請用計時器測量30秒朗讀的字數，並記錄在表格裡。

第一次讀	第二次讀	第三次讀	第四次讀	第五次讀
字	字	字	字	字

 如果你 30 秒唸 110 字以上，你超級厲害！

 如果你 30 秒唸 95 字以內，可以多練習幾次。

✏ 請看「請」的示範，並練習。

生字		練習	練習	部件組合	造詞（遮住生字寫）
請 ㄑㄧㄥ		請	請	言、青	請客、請坐
清 ㄑㄧㄥ					□ ㄑㄧㄥ 水、□ ㄑㄧㄥ 澈
睛 ㄐㄧㄥ					眼 □ ㄐㄧㄥ
撥 ㄅㄛ					□ ㄅㄛ 開、□ ㄅㄛ 頭髮
換 ㄏㄨㄢ					交 □ ㄏㄨㄢ 、替 □ ㄏㄨㄢ
隻 ㄓ					船 □ ㄓ 、一 □ ㄓ
取 ㄑㄩ					拿 □ ㄑㄩ 、選 □ ㄑㄩ
叢 ㄘㄨㄥ					草 □ ㄘㄨㄥ 、樹 □ ㄘㄨㄥ

生字遊戲──賓果學習單

1. 找一個同學跟你一起玩遊戲吧！
2. 你們要猜拳輪流寫字，猜贏的寫。
3. 請你們一個寫有「青」部件的生字，另一個人寫有「又」部件的生字。最先連線一條的人獲勝。

		情
	投	

✏️ 請把適合的語詞填在句子裡。

1. 楓樹的葉子會在秋天時，由綠色_____紅色。

原來／變成

2. 弟弟_____晚睡，導致上課時打瞌睡。

經常／只好

3. 本來要在操場玩躲避球，但是下大雨了，_____改在室內操場玩。

只好／很好

4. 這間老舊的教室經過整修後，比_____的樣子好太多了。

從來／原來

5. 一直下雨，讓學校的校外教學_____延期。

再度／變成

✏️ 挑戰看看：請把最適合的語詞填在短文裡。

他最近開始接觸網路遊戲，_____花太多時

經常／只好／再度

間玩電腦。他_____是上學準時的學生，卻

變成／原來／經常

_____上課遲到還不寫作業的學生，老師向

再度／變成／只好

家長說明這個情況後，家長_____把電腦賣

再度／變成／只好

掉，避免他_____沉迷於網路。

再度／變成／只好

找一找：請圈出格子內的語詞，並再讀一次語詞後將綠框內的語詞刪除。

老虎、海拔、原來、獲得、經常、清澈、只好、滿身大汗、再度、變成、回程、新聞、熱帶、叢林

虎	海	汗	變	程	林	海	度	變	成
來	拔	大	只	好	熱	汗	經	獲	好
常	帶	身	新	回	原	叢	常	拔	清
清	元	新	側	聞	度	變	再	得	叢
程	澈	經	清	老 虎		原	熱	帶	只
經	獲	得	來	常	再	滿	拔	原	林
回	來	熱	再	成	回	身	帶	只	來
程	原	叢	聞	度	經	大	老	回	常
老	身	林	滿	澈	熱	汗	原	聞	大

請根據文章內容選出最好的答案，要讀完每一個選項才能作答喔。

1. (　　) 杰生的爸爸為什麼會看到小老虎？

　　　①因為他是獵人

　　　②因為他在叢林工作

　　　③因為他喜歡動物

　　　④因為小老虎很可愛

2. (　　) 從小到大，杰生都怎麼跟老虎玩？

　　　①騎在老虎背上　②在老虎肚子搔癢

　　　③拉老虎的尾巴　④拉老虎的耳朵

3. (　　) 杰生和爸爸把老虎送去動物園時，你覺得杰生的心情如何？

　　　①難過　②開心　③興奮　④害怕

4. (　　) 杰生再度回到動物園看老虎時，為什麼他要拉老虎尾巴？

　　　①為了訓練特技　　②為了重溫兒時回憶

　　　③因為怕老虎跑走　④這樣老虎才不會咬他

5. (　　) 「杰生去上大學，再度回到動物園看來福時，已經三年以後了。」請問文句中的「再度」是什麼意思？

　　　①馬上　　②又一次　　③再見面　　④已經過去

6. (　　) 為什麼杰生和大老虎玩時，旁邊的工作人員嚇壞了？

　　　①因為大老虎會跑出來

②因為那隻大老虎不是杰生的老虎

③因為大老虎差點咬到杰生

④因為大老虎會很生氣

 寫作訓練——短句仿寫

✏️ 想像你也養了一隻寵物，請完成下列句子。

1. 杰生養了一隻老虎當寵物。

   我養了一隻 ＿＿＿＿＿＿＿＿ 當寵物。

2. 杰生給牠取名叫來福。

   我給牠取名叫 ＿＿＿＿＿＿＿＿ 。

3. 杰生餵來福喝牛奶、吃肉。

   我餵 ＿＿＿＿＿＿＿＿ 喝水、吃 ＿＿＿＿＿＿＿＿ 。

4. 杰生經常拉來福的尾巴玩。

   我經常和牠一起 ＿＿＿＿＿＿＿＿ 。

5. 即使杰生上大學了，他還是常常回去看來福。

   即使我很忙，我還是常常 ＿＿＿＿＿＿＿＿ 。

 故事分享

把這個故事分享給其他人，並請他們簽名。

聽完故事，你覺得怎麼樣？	請簽名
☑ 很好聽　□ 還不錯　□ 聽不懂　□ 其他	蘇小華
□ 很好聽　□ 還不錯　□ 聽不懂　□ 其他	
□ 很好聽　□ 還不錯　□ 聽不懂　□ 其他	

 NOTE

NOTE

3 貨車卡涵洞

文章結構表 ✏

請依照文章，完成下列的文章結構表。

主角	本課的主角是誰？ □ 1.警察先生　□ 2.張先生
時間	這個故事發生在什麼時間？ □ 1.深夜裡　　□ 2.下班的交通尖峰時間
地點	這個故事發生在什麼地點？ □ 1.涵洞裡　　□ 2.鐵路上
起因	引發這個問題的原因是什麼？ 張先生工作了一整天，無精打采，沒有看到警告牌就把小貨車開進涵洞裡。
問題	他遇到什麼問題？ ✏ 張先生的貨車 _____ 在涵洞裡。
解決	他怎麼解決問題？請你依照發生的順序，填入1、2、3、4、5。 □ 張先生打電話給警察， □ 警察把車輛疏散掉。 □ 警察先生先指揮交通， □ 再拆掉警告牌。 □ 接著把輪胎放氣，
結果	結果怎麼樣？ ✏ 張先生的貨車 _____。 □ 1.卡住了　□ 2.離開了涵洞

貨車卡涵洞

　　臺中市有一條和鐵路交叉的馬路，　15
工程師設計了一個涵洞，讓火車從涵洞　32
上面駛過，而汽車從涵洞裡駛過，如此　49
才不會相撞。這個涵洞小小的，只能讓　66
小車通過，一旦大車開進去，就會卡住。　84
交通局在涵洞前設置了一個「限高兩公　101
尺」的警告牌。　108

　　有一天傍晚，張先生工作了一整　122
天，無精打采的開著他的小貨車。因為　139
天色昏暗，張先生沒有看到警告牌，結　156
果他竟然把小貨車直接開進涵洞，　171
「砰———」的一聲，車子卡住了！他想要　188
踩油門，但是車子無法前進；他想要倒　205
車，但是車子也不能後退。這時候是上　222
下班的交通尖峰時間，後面的車子越來　239
越多，形成了大排長龍的景象。進退兩　256
難的張先生滿頭大汗，也非常 焦慮 ，　272
只好趕快打電話給110求救。　286

　　兩位警察抵達現場後， 立即 指揮　300

24

交通並 疏散 車輛。因為車子的車身實 316
在太高了，所以才會卡住。警察心想： 333
「這該怎麼辦呢？」後來他們 靈機一動， 351
決定幫張先生把四個輪胎放氣。放掉一 368
些氣之後，雖然車身降低了十公分，但 385
是車子還是動不了。 394

　　原來，剛才小貨車撞到警告牌時， 409
有一塊警告牌卡在車頂和涵洞之間，使 426
得車子移動不了。於是，警察又爬到車 443
頂上，將警告牌拆掉。 453

　　張先生鬆了一口氣，不再焦慮，心 468
想：「我 終於 可以把車開走了。」 483

流暢性訓練 — 記錄表

請用計時器測量1分鐘朗讀的字數，並記錄在表格裡。

第一次讀	第二次讀	第三次讀	第四次讀	第五次讀
字	字	字	字	字

如果你1分鐘唸220字以上，你超級厲害！

如果你1分鐘唸190字以內，可以多練習幾次。

生ㄕㄥ字ㄗˋ學ㄒㄩㄝˊ習ㄒㄧˊ

✏ 請ㄑㄧㄥˇ看ㄎㄢˋ「根ㄍㄣ」的ㄉㄜ˙示ㄕˋ範ㄈㄢˋ並ㄅㄧㄥˋ練ㄌㄧㄢˋ習ㄒㄧˊ。

生字		練習	練習	部件組合	造詞（遮住生字寫）
根 ㄍㄣ				木、艮	樹根、根本
限 ㄒㄧㄢ					☐ㄒㄧㄢ 制、界☐ㄒㄧㄢ
退 ㄊㄨㄟ					後☐ㄊㄨㄟ、☐ㄊㄨㄟ 步
汽 ㄑㄧˋ					☐ㄑㄧˋ 車、☐ㄑㄧˋ 油
氣 ㄑㄧˋ					空☐ㄑㄧˋ、生☐ㄑㄧˋ
該 ㄍㄞ					應☐ㄍㄞ、活☐ㄍㄞ
刻 ㄎㄜˋ					時☐ㄎㄜˋ、立☐ㄎㄜˋ
始 ㄕˇ					開☐ㄕˇ、起☐ㄕˇ
胎 ㄊㄞ					輪☐ㄊㄞ、爆☐ㄊㄞ

 生ㄕㄥ字ㄗˋ遊ㄧㄡˊ戲ㄒㄧˋ──連ㄌㄧㄢˊ連ㄌㄧㄢˊ看ㄎㄢˋ

1. 找ㄓㄠˇ個ㄍㄜˋ同ㄊㄨㄥˊ學ㄒㄩㄝˊ跟ㄍㄣ你ㄋㄧˇ一ㄧˋ起ㄑㄧˇ玩ㄨㄢˊ賓ㄅㄧㄣ果ㄍㄨㄛˇ吧ㄅㄚ˙！

2. 請ㄑㄧㄥˇ在ㄗㄞˋ右ㄧㄡˋ方ㄈㄤ表ㄅㄧㄠˇ格ㄍㄜˊ寫ㄒㄧㄝˇ下ㄒㄧㄚˋ生ㄕㄥ字ㄗˋ：根ㄍㄣ、限ㄒㄧㄢ、退ㄊㄨㄟ、汽ㄑㄧˋ、氣ㄑㄧˋ、該ㄍㄞ、刻ㄎㄜˋ、始ㄕˇ、胎ㄊㄞ。

3. 請ㄑㄧㄥˇ你ㄋㄧˇ們ㄇㄣ˙輪ㄌㄨㄣˊ流ㄌㄧㄡˊ唸ㄋㄧㄢˋ生ㄕㄥ字ㄗˋ並ㄅㄧㄥˋ圈ㄑㄩㄢ起ㄑㄧˇ來ㄌㄞˊ。

   ★ 進ㄐㄧㄣˋ階ㄐㄧㄝ玩ㄨㄢˊ法ㄈㄚˇ：可ㄎㄜˇ以ㄧˇ將ㄐㄧㄤ生ㄕㄥ字ㄗˋ造ㄗㄠˋ詞ㄘˊ。

4. 最ㄗㄨㄟˋ先ㄒㄧㄢ連ㄌㄧㄢˊ成ㄔㄥˊ三ㄙㄢ條ㄊㄧㄠˊ線ㄒㄧㄢˋ的ㄉㄜ˙人ㄖㄣˊ獲ㄏㄨㄛˋ勝ㄕㄥˋ！

請把適合的語詞填在句子裡。

1. 姐姐搭船去綠島時暈船，她想＿＿＿＿＿＿上岸。

　　立刻／終於

2. 馬路上發生一起意外車禍，警方接獲通知，前來＿＿＿＿＿＿擁擠的交通。

　　運輸／疏散

3. 要跟陌生人說話，會讓他感到＿＿＿＿＿＿。

　　焦慮／憤怒

4. 太陽出來了，在連日豪雨後，＿＿＿＿＿＿放晴。

　　只好／終於

5. 弟弟被反鎖在房間裡，大家找不到鑰匙，這時哥哥＿＿＿＿＿＿，想到破門而入的方法。

　　靈機一動／
　　努力一搏

挑戰看看：請把最適合的語詞填在短文裡。

受風災的影響，村落可能慘遭土石流淹沒，村長

面對這景況感到＿＿＿＿＿＿，他＿＿＿＿＿＿＿＿＿＿
　　　　　　　焦慮／困難／為難　　伺機而動／靈機一動
想到快速＿＿＿＿＿＿村民的好方法。村民們
　　　　躲藏／疏散／逃離
＿＿＿＿＿＿離開家園，
趕不及／緩慢／立刻
過了兩小時，全數村民＿＿＿＿＿＿疏散完畢。
　　　　　　　　　最後／終於／立刻

27

找一找：請圈出格子內的語詞，並再讀一次語詞後，將綠框內的語詞刪除。

涵洞、終於、叢林、靈機一動、清澈、經常、
焦慮、立刻、原來、變成、疏散、交叉、熱帶、
無精打采、再度、交通尖峰時間

立	貨	清	叢	經	靈	變	成	焦	交
刻	叢	無	洞	林	機	利	叢	清	常
林	散	精	清	峰	疏	立	動	澈	一
成	終	打	再	叉	散	再	時	熱	帶
熱	於	采	焦	慮	打	刻	度	精	靈
車	度	變	刻	彩	無	涵	洞	帶	散
原	澈	交	常	交	通	尖	峰	時	間
獲	來	又	叉	采	原	疏	經	獲	焦
一	靈	機	一	動	獲	林	慮	常	機

✏️ 請根據文章內容，選出最適合的答案。

1. (　　) 什麼車卡在臺中市的涵洞？
   ①汽車　②小貨車　③警車　④文章沒說

2. (　　) 下列哪一項「不是」張先生焦慮的原因？
   ①他想踩油門，但車子不能前進
   ②他想倒車，但車子不能後退
   ③警察會處罰張先生
   ④後面的車子大排長龍

3. (　　) 誰幫助張先生解決了問題？
   ①張先生自己　②工程師　③警察　④文章沒說

4. (　　) 為什麼張先生後面的車子會大排長龍？
   ①他開車太慢了　　②他的輪胎沒有氣了
   ③他的車卡在涵洞　④他被警察攔下來了

5. (　　) 如果你是張先生，張先生很焦慮的時候，
   心裡「最不可能」有什麼想法？
   ①我太不小心了
   ②我對不起後面這些開車的人
   ③後面開車的人都是笨蛋
   ④警察先生快點來吧！

6. 請在以下事件中，填寫張先生的「心情」。（填上
   號碼即可，可複選）
   參考語詞：①開心、②焦慮、③放鬆、④難過、⑤擔心
   (　　) (1) 車子開進涵洞卻卡住

29

（　　）(2) 他想讓車子前進或後退都動彈不得

（　　）(3) 警察靈機一動，想到一個好辦法

（　　）(4) 終於把車子開走

句句有型——連接詞「先…再…後來」／「首先…然後…最後」

小朋友，有些小短句會用連接詞連結成一個長句子，只要你讀懂它，就能看懂句子囉！

 請圈出短文裡的連接詞。

有一臺貨車經過涵洞時卡住了！司機先踩油門想要前進，但失敗了，他再倒車要後退，但還是失敗了。後來他決定報警處理。

警察看到車子卡在涵洞，首先把輪胎放氣，然後把卡在涵洞和車子中間的警告牌拆掉，最後車子順利開離涵洞了。

 請將連接詞填進短文裡。

先…再…後來	首先…然後…最後
①將食材攪拌均勻	①把今天要上課的內容拿出來預習
②準備麵粉、蛋、牛奶	②跟老師和同學打招呼
③將麵糊放進鬆餅機，烤十分鐘就完成了。	③找出作業交給小老師

做鬆餅的時候要：	早上，我走進教室，
✎ 先②，再①，後來③。	✎ 首先＿＿＿，然後，＿＿＿ 最後＿＿＿。（換你做做看）

故事分享

把故事分享給其他人聽，並請他們簽名。

聽完故事，你覺得怎麼樣？	請簽名
☑很好聽 □還不錯 □聽不懂 □其他	蘇小華
□很好聽 □還不錯 □聽不懂 □其他	
□很好聽 □還不錯 □聽不懂 □其他	

NOTE

NOTE

4 危機就是轉機

文章結構表 ✏

請依照文章，完成下列的文章結構表。

背景	主角	☐ 1.獅子。	☐ 2.犀牛（壯壯）
	時間	☐ 1.白天。	☐ 2.晚上
	地點	☐ 1.水塘裡。	☐ 2.池塘裡

起因
引發這個問題的原因是什麼？
✏ 犀牛去水塘 ＿＿＿＿＿＿＿＿。

問題❶
犀牛遇到什麼問題？
☐ 1.無法爬出水塘。
☐ 2.全身是爛泥巴，又髒又臭。

解決❶
這個問題怎麼解決？
☐ 1.牠使盡吃奶的力氣，想爬出去。
☐ 2.牠用水塘的水洗澡。

結果❶
結果是什麼？
牠沒有爬出水塘。

問題❷
犀牛被一群獅子盯上了，獅子們從右邊靠近犀牛。

解決❷
這個問題怎麼解決？
✏ 犀牛往左邊移動，發現左邊
水比較淺，用力＿＿＿＿＿＿一下牙。

結果❷
結果是什麼？
☐ 1.犀牛成功爬出水塘。
☐ 2.犀牛被獅子吃掉。

結論
結論是什麼？
✏ 危機就是 ＿＿＿＿＿＿＿＿。

危機就是轉機

犀牛壯壯是個大個子，體重重達 14

一千四百公斤，在陸地上 僅次於 大象。 31

牠皮厚肉粗，長著尖利的長角，速度又 48

快，被牠撞上，絕對沒好下場。所以，牠 66

雖然是草食性動物，但連獅子都 不敢 82

招惹牠。 86

今天，壯壯到一個水塘裡泡澡，要 101

離開的時候，發生了一件 倒楣 的事。 117

壯壯的腿短，身子太重，水塘的邊緣又 134

高又滑，全是爛泥巴，牠爬了又爬， 掙 151

扎 了又掙扎，就是爬不上去。牠使盡吃 168

奶的力氣，已經 筋疲力竭 了。太陽越 184

來越大，天氣越來越熱。再出不去，壯 201

壯就會被晒死在這裡了。 212

更 倒楣 的是，筋疲力竭的牠這時 226

卻被獅子盯上了。犀牛肉這麼多，一定 243

是很美味的一頓大餐。於是，一頭獅子 260

來了。第二頭、第三頭獅子也跟著來了， 278

這會兒真是 危機四伏 啊！獅子從右邊 294

靠近，壯壯不得不往左邊移動。壯壯移動幾公尺之後，咦，牠發現左岸的水位比較淺。 311 / 328 / 332

不知哪來的蠻力，牠用力掙扎一下，居然就衝上岸了。一上岸，獅子根本就不是牠的對手，壯壯終於安全了。壯壯面對生命最大危機的時候，居然是敵人救了牠。 346 / 363 / 380 / 397 / 403

危機，就是危險和機會，發生危險，就會有新的機會。俗話說：「危機就是轉機」，真是一點也沒錯啊！ 419 / 436 / 449

流暢性訓練 — 記錄表

請用計時器測量 1 分鐘朗讀的字數，並記錄在表格裡。

第一次讀	第二次讀	第三次讀	第四次讀	第五次讀
字	字	字	字	字

如果你 1 分鐘唸 220 字以上，你超級厲害！

如果你 1 分鐘唸 190 字以內，可以多練習幾次。

生字學習

✏️ 請看「預」的示範並練習。

生字		練習	練習	部件組合	造詞（遮住生字寫）
預 ㄩˋ				予、頁	預先、預習
頓 ㄉㄨㄣˋ					停 ☐ ㄉㄨㄣˋ 、 ☐ ㄉㄨㄣˋ 腳
頭 ㄊㄡ					插 ☐ ㄊㄡ 、 ☐ ㄊㄡ 髮
敢 ㄍㄢˇ					☐ ㄍㄢˇ 言、勇 ☐ ㄍㄢˇ
敵 ㄉㄧˊ					☐ ㄉㄧˊ 人、 ☐ ㄉㄧˊ 隊
措 ㄘㄨㄛˋ					手足無 ☐ ㄘㄨㄛˋ 、 ☐ ㄘㄨㄛˋ 施
錯 ㄘㄨㄛˋ					☐ ㄘㄨㄛˋ 誤、犯 ☐ ㄘㄨㄛˋ
重 ㄔㄨㄥˊ					☐ ㄔㄨㄥˊ 新、 ☐ ㄔㄨㄥˊ 複
衝 ㄔㄨㄥ					☐ ㄔㄨㄥ 動、 ☐ ㄔㄨㄥ 突

生字遊戲——賓果學習單

1. 找個同學跟你一起玩賓果吧！

2. 請在右方表格寫下生字：預、頓、頭、敢、敵、措、錯、重、衝。

3. 請你們輪流唸生字並圈起來。
   ★ 進階玩法：可以將生字造詞。

4. 最先連成三條線的人獲勝！

語詞學習

✎ 請把適合的語詞填在句子裡。

1. 不要故意＿＿＿＿＿＿路邊野狗，以
   免被咬傷。

   招惹／招手

2. 面對社工的擁抱，他竟然又踢又
   踹，拚命＿＿＿＿＿＿！

   預防／掙扎

3. 要在三個月內完成這項任務，
   ＿＿＿＿＿＿不可能！

   根據／根本

4. 長途開車使他＿＿＿＿＿＿。

   筋疲力竭／氣消

5. 根據2014年的資料，沙烏地阿拉
   伯的石油產量，＿＿＿＿＿＿俄
   羅斯，位居全球第二。

   僅次於／由於

✎ 挑戰看看：請把最適合的語詞填在短文裡。

這次颱風的威力＿＿＿＿＿＿史上最強颱風。
　　由於／僅次於／於是
軍警人員因為忙於救災已經＿＿＿＿＿＿，
　　　　筋疲力竭／意志力／爆發力
＿＿＿＿＿＿沒有時間照顧自己的家庭，但仍然要在
因為／如果／根本
海邊救助一位受困的遊客。唉，人何必去

＿＿＿＿＿＿大自然？假如你颱風天不出去看浪，現
招惹／招呼／招手
在也就不用在海中＿＿＿＿＿＿求生存了。
　　　　掙扎／搏鬥／打鬥

37

找一找：請圈出格子內的語詞，並再讀一次語詞後，將綠框內的語詞刪除。

犀牛、僅次於、招惹、掙扎、筋疲力竭、根本、
危機四伏、機會、晒死、邊緣、再度、清澈、
無精打采、滿身大汗、焦慮

機	招	晒	僅	狂	清	澈	掙	根	招
死	會	焦	次	危	僅	筋	疲	力	竭
無	筋	慮	刺	招	聲	伏	惹	機	札
根	精	掙	犀	掙	惹	僅	晒	再	邊
奔	伏	打	危	牛	緣	紛	危	度	會
晒	死	四	采	筋	一	破	機	招	泣
激	根	產	掙	扎	疲	刺	四	狂	僅
惹	邊	緣	機	根	泣	札	伏	掙	次
滿	身	大	汗	惹	本	僅	次	紛	於

✎ 請根據文章內容，選出最適合的答案。

1. (　　) 請根據下列描述，選出正確的動物。「我吃素，體重在陸地上僅次於大象，且皮厚肉粗，長著尖利的長角。我是_____。」

　①大象　　②獅子　　③犀牛　　④馴鹿

2. (　　) 壯壯到水塘洗澡後，下列哪個「不是」牠爬不出水塘的原因？

　①壯壯太重　　②壯壯招惹獅子

　③壯壯腿短　　④水塘邊緣又高又滑

3. (　　) 幫助壯壯成功脫離水塘的原因是什麼？

　①其他犀牛相救　　　②獅子靠近

　③靠水的浮力掙扎逃生　④天氣太熱

4. (　　) 壯壯的危機是什麼？轉機是什麼？請連連看，選出正確答案。

危機是 •　　　• 發現左岸水比較淺而爬出水塘

轉機是 •　　　• 獅子要吃他

5. (　　) 請根據文章內容順序，填上數字 1～4。

□壯壯想離開水塘卻出不去

□壯壯發現左岸水比較淺而奮力上岸

□壯壯到水塘洗澡

□獅子們想吃困在水塘裡的壯壯

39

寫作訓練───慢動作

 小朋友,寫作文就像拍電影,有時要用慢動作播出才會讓人印象深刻。我們來看下面的例句。

壯壯在水塘裡爬不出來, 已經筋疲力竭了。

 這句話是想寫壯壯在水塘裡爬不出來, 掙扎的過程。 但他只寫了一句話, 一點也不吸引人。 其實, 他只要用「慢動作」的技巧來寫, 讀者的感受就會完全不同囉! 我們來看文章的寫法:

壯壯的腿短, 身子太重, 水塘的邊緣又高又滑, 全是爛泥巴, 牠爬了又爬, 掙扎了又掙扎, 就是爬不上去。 牠使盡吃奶的力氣, 已經筋疲力竭了。

 故ㄍㄨˋ事ㄕˋ分ㄈㄣ享ㄒㄧㄤˇ

把ㄅㄚˇ這ㄓㄜˋ個ㄍㄜˋ故ㄍㄨˋ事ㄕˋ分ㄈㄣ享ㄒㄧㄤˇ給ㄍㄟˇ其ㄑㄧˊ他ㄊㄚ人ㄖㄣˊ，並ㄅㄧㄥˋ請ㄑㄧㄥˇ他ㄊㄚ們ㄇㄣ簽ㄑㄧㄢ名ㄇㄧㄥˊ。

聽ㄊㄧㄥ完ㄨㄢˊ故ㄍㄨˋ事ㄕˋ，你ㄋㄧˇ覺ㄐㄩㄝˊ得ㄉㄜˊ怎ㄗㄣˇ麼ㄇㄜ樣ㄧㄤˋ？	請ㄑㄧㄥˇ簽ㄑㄧㄢ名ㄇㄧㄥˊ
☑很ㄏㄣˇ好ㄏㄠˇ聽ㄊㄧㄥ □還ㄏㄞˊ不ㄅㄨˋ錯ㄘㄨㄛˋ □聽ㄊㄧㄥ不ㄅㄨˋ懂ㄉㄨㄥˇ □其ㄑㄧˊ他ㄊㄚ	蘇小華
□很ㄏㄣˇ好ㄏㄠˇ聽ㄊㄧㄥ □還ㄏㄞˊ不ㄅㄨˋ錯ㄘㄨㄛˋ □聽ㄊㄧㄥ不ㄅㄨˋ懂ㄉㄨㄥˇ □其ㄑㄧˊ他ㄊㄚ	
□很ㄏㄣˇ好ㄏㄠˇ聽ㄊㄧㄥ □還ㄏㄞˊ不ㄅㄨˋ錯ㄘㄨㄛˋ □聽ㄊㄧㄥ不ㄅㄨˋ懂ㄉㄨㄥˇ □其ㄑㄧˊ他ㄊㄚ	

NOTE

5 所羅門王的智慧

文章結構表 ✏️

請依照文章，完成下列的文章結構表。

主角	本課的主角是誰？ ☐ 1.兩位婦人　☐ 2.所羅門王
時間	這個故事發生在什麼時間？ ☐ 1.某天中午　☐ 2.很久以前
地點	這個故事發生在什麼地點？ ☐ 1.以色列　☐ 2.文章沒說
問題	✏️ 主角遇到什麼問題？ 有兩位婦人在爭奪一個孩子，請＿＿＿＿判斷。
解決	主角怎麼解決？ 1.國王建議將孩子劈成兩半，一人一半，最公平。 2.兩位婦人反應不同， 一人態度冷靜，贊成把孩子劈成兩半。 ✏️ 一人態度＿＿＿＿，＿＿＿＿把孩子劈成兩半。
結果	結果怎麼樣？ ✏️ 所羅門王找到孩子真正的媽媽，並＿＿＿＿說謊的婦人。
迴響	故事結果，引發其他人什麼樣的反應？ ☐ 1.菲比真是太過分了！ ☐ 2.大家都佩服所羅門王的智慧。

所羅門王的智慧

　　很久以前，在以色列有一位充滿　　14

智慧的國王———所羅門，幾乎任何事都　　30

難不倒他。　　35

　　有一天，以麗沙和菲比為了爭奪　　49

一位小男嬰而吵得鬧哄哄的。鄰近的　　65

官員聽了原因後，實在無法判斷，只　　81

好把婦人帶到所羅門王面前，請他判　　99

斷。　　101

　　以麗沙說：「國王啊，我跟菲比住　　116

在一起，我們都生了男嬰，沒想到，有　　133

天要餵奶時，我發現孩子死了。不過，　　150

我仔細一看，這個死掉的孩子不是我　　166

的，是菲比的。原來是她偷偷抱走我的　　183

孩子，把死掉的孩子放在我身邊。」菲　　200

比馬上回說：「國王啊，不是這樣的，這　　218

個活的孩子明明就是我的。雖然以麗沙　　235

孩子死了很可憐，但也不能搶我的孩子　　252

啊！」以麗沙說：「你說謊，這個孩子是　　270

我的。」菲比說：「你才說謊，這個孩子　　288

44

是「我的。」以麗沙和菲比在國王面前不 305
停的 鬥嘴 ，國王沉思了一會說：「拿刀 322
來，把孩子劈成兩半，一人一半，最公 339
平！」 342

菲比冷靜的說：「一人一半很公平， 358
就把孩子劈了吧！」以麗沙 慌張 的搖 374
著手說：「孩子不能劈、不能劈，孩子給 392
她好了，我不要了。」這時所羅門王大 409
聲的說：「 真相大白 ！孩子是以麗沙的， 427
只有真媽媽才會不忍心孩子被殺，把這 444
個說謊的媽媽拖下去，我要重重的處罰 461
她。」 464

大家聽到所羅門王的作法，都佩 478
服他的判斷，因為他擁有過人的智慧。 495

 流暢性訓練 — 記錄表

請用計時器測量1分鐘朗讀的字數，並記錄在表格裡。

第一次讀	第二次讀	第三次讀	第四次讀	第五次讀
字	字	字	字	字

如果你 1 分鐘唸 220 字以上，你超級厲害！

如果你 1 分鐘唸 190 字以內，可以多練習幾次。

✏️ 請ㄑㄧㄥˇ看ㄎㄢˋ「頭ㄊㄡˊ」的ㄉㄜ˙示ㄕˋ範ㄈㄢˋ並ㄅㄧㄥˋ練ㄌㄧㄢˋ習ㄒㄧˊ。

生字		練習	練習	部件組合	造詞（遮住生字寫）
頭	ㄊㄡˊ			豆 + 頁 = 頭	頭髮、頭腦
鬧	ㄋㄠˋ				熱 □（ㄋㄠˋ）、吵 □（ㄋㄠˋ）
鬥	ㄉㄡˋ				奮 □（ㄉㄡˋ）、打 □（ㄉㄡˋ）
鄰	ㄌㄧㄣˊ				□（ㄌㄧㄣˊ）居、□（ㄌㄧㄣˊ）近
憐	ㄌㄧㄢˊ				□（ㄌㄧㄢˊ）憫、可 □（ㄌㄧㄢˊ）
謊	ㄏㄨㄤˇ				說 □（ㄏㄨㄤˇ）、□（ㄏㄨㄤˇ）言
慌	ㄏㄨㄤ				□（ㄏㄨㄤ）張、□（ㄏㄨㄤ）亂

1. 找ㄓㄠˇ個ㄍㄜˋ同ㄊㄨㄥˊ學ㄒㄩㄝˊ跟ㄍㄣ你ㄋㄧˇ一ㄧˋ起ㄑㄧˇ玩ㄨㄢˊ賓ㄅㄧㄣ果ㄍㄨㄛˇ吧ㄅㄚ˙！

2. 請ㄑㄧㄥˇ在ㄗㄞˋ右ㄧㄡˋ方ㄈㄤ表ㄅㄧㄠˇ格ㄍㄜˊ寫ㄒㄧㄝˇ下ㄒㄧㄚˋ生字：鬧ㄋㄠˋ、鬥ㄉㄡˋ、鄰ㄌㄧㄣˊ、憐ㄌㄧㄢˊ、謊ㄏㄨㄤˇ、慌ㄏㄨㄤ。

3. 請ㄑㄧㄥˇ你ㄋㄧˇ們ㄇㄣ˙輪ㄌㄨㄣˊ流ㄌㄧㄡˊ唸ㄋㄧㄢˋ生字並ㄅㄧㄥˋ圈ㄑㄩㄢ起ㄑㄧˇ來ㄌㄞˊ。

★ 進ㄐㄧㄣˋ階ㄐㄧㄝ玩ㄨㄢˊ法ㄈㄚˇ：可ㄎㄜˇ以ㄧˇ將ㄐㄧㄤ生字造ㄗㄠˋ詞ㄘˊ。

4. 最ㄗㄨㄟˋ先ㄒㄧㄢ連ㄌㄧㄢˊ成ㄔㄥˊ三ㄙㄢ條ㄊㄧㄠˊ線ㄒㄧㄢˋ的ㄉㄜ˙人ㄖㄣˊ獲ㄏㄨㄛˋ勝ㄕㄥˋ！

掌		
嘗		
賞		

請把最適合的語詞填在句子裡。

1. 主人一進門，小偷就＿＿＿＿＿＿＿的從後門跑走。

　　　　　　　　　　　　　說謊／慌張

2. 為了＿＿＿＿＿＿＿冠軍，弟弟使出全力往前邁進。

　　　　　　　　　　　　　爭吵／爭奪

3. 他很聰明，再難的題目都＿＿＿＿＿＿＿他。

　　　　　　　　　　　　　難不倒／想不到

4. 所羅門王＿＿＿＿＿＿＿這男嬰是以麗沙的。

　　　　　　　　　　　　　判斷／審判

5. 夜市擺設各種攤位，人來人往，＿＿＿＿＿＿＿的，真熱鬧。

　　　　　　　　　　　　　鬧哄哄／轟隆隆

6. 這件事經過警察仔細調查後，終於＿＿＿＿＿＿＿。

　　　　　　　　　　　　　筋疲力竭／真相大白

7. 當雙方意見不一樣時，容易因此而＿＿＿＿＿＿＿。

　　　　　　　　　　　　　鬥嘴／嘴饞

挑戰看看：請把最適合的語詞填在短文裡。

有兩位婦人在店裡為了＿＿＿＿＿＿一雙鞋子而
爭吵／爭奪／奪冠
＿＿＿＿＿＿，他們都說是自己先看到的，讓商
嘴饞／鬥嘴／鬥牛
店變得＿＿＿＿＿＿＿。店員＿＿＿＿＿＿的向店長
轟隆隆／吱喳／鬧哄哄　　慌張／荒涼／開心
尋求幫助。於是，店長調出錄影帶＿＿＿＿＿＿＿，
假設／仔細一看／靈機一動
終於＿＿＿＿＿＿＿了。
熱淚盈眶／筋疲力竭／真相大白

47

找一找：請圈出格子內的語詞，並再讀一次語詞後，將綠框內的語詞刪除。

智慧、招惹、筋疲力竭、難不倒、爭奪、鬧哄哄、
危機四伏、判斷、仔細一看、掙扎、邊緣、鬥嘴、
慌張、疏散、真相大白、終於

筋	躺	智	仔	看	細	已	白	掙	扎
慧	疲	一	斷	細	倒	又	爭	細	看
判	奪	力	昏	鬧	一	慰	奪	仔	疏
斷	慌	張	竭	智	慧	看	張	智	散
危	機	四	伏	一	即	安	鬧	相	側
哄	爭	真	爭	滿	邊	躺	慌	哄	鬥
終	於	細	相	冷	緣	項	細	白	哄
鬥	看	招	慰	大	心	難	不	倒	嘴
難	嘴	惹	不	汗	白	真	又	仰	救

48

✏️ 請根據文章內容，選出最適合的答案。

1. (　) 以麗沙和菲比是什麼關係？

　　①母女　　②同居人　　③百姓　　④女生

2. (　) 以麗沙和菲比有許多相同的地方，下列哪一個「錯誤」？

　　①死了孩子　　②是婦人　　③住一起　　④生男嬰

3. (　) 為什麼所羅門王想把孩子劈成兩半？

　　①因為一人一半很公平

　　②因為孩子死了

　　③因為兩位婦人都說謊

　　④因為他要看誰是真媽媽

4. (　) 為什麼以麗沙會慌張的說：「孩子不能劈，我不要了」？

　　①因為孩子不是她的

　　②因為她怕被所羅門王處罰

　　③因為她怕孩子被殺死

　　④因為她怕看到血

5. (　) 猜猜看，為什麼菲比要說謊？

　　①她喜歡說謊話

　　②她不甘心只有自己的孩子死了

　　③她想考考所羅門王的智慧

　　④她想陷害以麗沙

6. (　　) 你覺得所羅門王「不是」一位怎樣的人？

　　①冷靜的人

　　②有智慧的人

　　③狠心的人

　　④有同理心的人

 句句有型──連接詞「雖然⋯但⋯」

✏ 小朋友，我們今天要學「雖然⋯，但⋯」的連接詞，當你讀懂連接詞，更能看懂句子喔！

> 雖然以麗沙孩子死了很可憐，←這句是一件事。
> 但也不能搶我的孩子啊！←這句是轉折的句子。

1. 請將「雖然⋯但⋯」填進句子裡。

　　(　　　　) 我不聰明，(　　　　　) 我很努力學習。

　　(　　　　) 我不餓，(　　　　　) 還是想吃東西。

2. 請勾選最適合的答案，完成句子。

　✏ 雖然我不高， 但 ☐ 我跑得很慢。
　　　　　　　　　　 ☐ 我跑得很快。

　✏ 雖然我數學不好， 但 ☐ 我國語也不好。
　　　　　　　　　　　 ☐ 我很努力。

✐ 雖然 □ 我年紀小，

　　　 □ 我功課很好，　　　 但我可以幫忙做家事。

3. 請連連看。

一件事　　　　　　　　　　　有轉折的句子

　　　　　　　　　　　　　　• 但很香。

雖然甜點很好吃，　　•　　• 但很貴。

　　　　　　　　　　　　　　• 但很可口。

4. 將以下兩個句子用 雖然…，但… 連結起來。

①我一點也不怕

②那隻狗很凶

✐ _____

 故事分享

把這個故事講給其他人聽，並請他們簽名。

聽完故事，你覺得怎麼樣？	請簽名
☑很好聽 □還不錯 □聽不懂 □其他	蘇小華
□很好聽 □還不錯 □聽不懂 □其他	
□很好聽 □還不錯 □聽不懂 □其他	

51

NOTE

6 好心有好報

請依照文章，完成下列的文章結構表。

主角	本課的主角是誰？ □ 1.提莎　　□ 2.奧黛莉
起因	引發這個問題的原因是什麼？ 奧黛莉得了癌症，即將不久於人世，她有三個孩子，拜托提莎照顧。
問題	主角遇到什麼問題？ □ 1.房子住不下那麼多人。 □ 2.三個孩子要變成孤兒了。
解決	這個問題怎麼解決？ □ 1.電視節目聽到他們的困境，被他們的愛心感動，決定幫忙將家裡重新隔間與裝潢。 □ 2.社區民眾聽到他們的困境，被他們的愛心感動，決定幫忙將家裡重新隔間與裝潢。
結果	結果怎麼樣？（有兩個答案） □ 1.房子能舒服的住了。 □ 2.電視節目還送了一輛大車子。 □ 3.提莎在孤兒院裡長大。

好心有好報

奧黛莉得了癌症，即將不久於人　14
世，但她是個單親媽媽，孩子怎麼辦？　31

　「我快要不行了，可以請你領養我　46
的三個孩子嗎？」她拜託她的鄰居提　62
莎。提莎說：「你放心，我和凱文會領養　80
孩子，並且好好照顧他們。」奧黛莉終　97
於安心離世。　103

　其實提莎和凱文已經有五個孩子　117
了，再加上三個，房子就住不下了。三　134
個孩子住進來以後，其中兩個孩子得擠　151
在頂層的小隔間。另外，最大的兒子　167
睡在躺椅上，還有一個睡在廚房地上的　184
床墊，他們根本沒有錢改善環境。但有　201
一個名叫「驚喜小組」的電視節目聽說　218
了這一家人的困境。他們被提莎和凱　234
文的愛心感動了，決定設法解決他們的　251
問題，「讓我們幫忙把家裡重新隔間吧，　269
但工程進行時，請你們先到旅館住一個　286
星期。」主持人說。　295

　一個星期後，一家十口回到家裡，　310

54

他們簡直不敢相信自己的眼睛。原來， 327

這個星期裡，工人進進出出，他們不僅 344

改變了隔間，也重新油漆。客廳 裝潢 360

後換了新的地毯，還買了全新的家具。 377

「太不可思議了，太感謝了。」正當提莎 395

和家人 感激 得 熱淚盈眶 時，還有一個 411

更大的驚喜———一輛十二人座的大車 426

子緩緩開了過來。主持人笑著說：「這 443

輛車子也是送給你們的，以後可以全家 460

出遊了。」 465

「許多人一起努力， 促成 了一個 479

令人驚喜的耶誕節。」主持人說：「最後， 498

我們來問提莎一個問題：『為什麼家都 515

住不下了，你還願意再領養三個孩子 531

呢？』」「因為……」，提莎緩緩的說：「我 551

自己就是在孤兒院裡長大的。」 565

 流暢性訓練 — 記錄表

請用計時器測量 1 分鐘朗讀的字數，並記錄在表格裡

第一次讀	第二次讀	第三次讀	第四次讀	第五次讀
字	字	字	字	字

 如果你 1 分鐘唸 220 字以上，你超級厲害！

 如果你 1 分鐘唸 190 字以內，可以多練習幾次。

請看「芳」的示範並練習。

生字	練習	練習	部件組合	造詞（遮住生字寫）
芳 ㄈㄤ			ㄊ、方	芬芳、芳香精油
房 ㄈㄤ				□ㄈㄤ 間、票□ㄈㄤ
訪 ㄈㄤ				拜□ㄈㄤ、□ㄈㄤ 問
持 ㄔ				□ㄔ 刀、主□ㄔ 人
時 ㄕ				□ㄕ 鐘、□ㄕ 間
領 ㄌㄧㄥ				□ㄌㄧㄥ 隊、帶□ㄌㄧㄥ
顧 ㄍㄨ				照□ㄍㄨ、□ㄍㄨ 客
題 ㄊㄧ				□ㄊㄧ 目、問□ㄊㄧ
願 ㄩㄢ				自□ㄩㄢ、□ㄩㄢ 意

生字遊戲 —— 連連看

1. 找個同學跟你一起玩遊戲吧！

2. 你們要猜拳輪流寫字，猜贏的可以填寫一個字。

3. 請你們一個寫「頁」部件的生字，另一個寫「方」部件的生字。最先連成一條線的人獲勝。

✎ 請把適合的語詞填在句子裡。

1. 即使面對＿＿＿＿＿＿，他仍然用感謝與笑容來克服挑戰。　　困境／困惑

2. 因為有大家的幫忙，才＿＿＿＿＿＿這件事情能順利完成。　　促成／成功

3. 地震後，災民很＿＿＿＿＿＿有許多志工幫助他們重建家園！　　感人／感激

4. 看到許久未見的父母，她＿＿＿＿＿＿的緊抱住他們。　　熱淚盈眶／靈機一動

5. 冬天＿＿＿＿＿＿來臨，媽媽決定把所有的大衣都拿出來清洗，準備迎接寒冷的冬天。　　趕緊／即將

✎ 挑戰看看：請把最適合的語詞填在短文裡。

颱風＿＿＿＿＿＿來臨，獨自居住的李奶奶，很擔心
已經／快速／即將
那破舊的房子會被颱風摧毀。村民知道後，就找

來其他人幫助李奶奶解決這＿＿＿＿＿＿。
困境／困苦／環境
看到村民們為自己付出的一切，李奶奶

＿＿＿＿＿＿的流下眼淚。就在李奶奶＿＿＿＿＿＿時，
感激／興奮／難過　　靈機一動／火冒三丈／熱淚盈眶
有些村民還煮了一大鍋菜，準備陪李奶奶度過

可怕的颱風天。村民們的愛心＿＿＿＿＿＿了一個溫
成功／促成／完成
馨的聚會。

找一找：請圈出格子內的語詞，並再讀一次語詞後，將綠框內的語詞刪除。

驚喜、即將、判斷、熱淚盈眶、困境、慌張、領養、
真相大白、設法、感激、趕緊、爭奪、鬥嘴、促成

領	養	觀	慌	溫	熱	關	充	心	促
爭	滿	喜	促	張	十	驚	喜	法	成
成	奪	趕	真	領	光	心	將	激	淚
法	色	設	相	精	趕	溫	設	夢	盈
夢	即	困	大	喜	緊	即	五	法	焦
境	將	幻	白	領	五	判	光	心	將
因	五	激	法	鬥	嘴	滿	斷	困	淚
熱	淚	盈	眶	養	淚	養	即	境	五
眶	心	感	緊	困	盈	感	激	馨	熱

✏️ 請根據文章內容，選出最適合的答案。

1. ( ) 奧黛莉為什麼要拜託提莎領養自己的小孩？

   ①因為她賺的錢不夠養小孩

   ②因為她要出遠門，不知道什麼時候回來

   ③因為她得了癌症，活不久了

   ④因為她無法管教自己的小孩

2. ( ) 為什麼「驚喜小組」的電視節目要幫助提莎和凱文？

   ①因為他們想要幫助有錢人

   ②因為他們想讓這對夫婦更有錢

   ③因為他們想做一個耶誕節的特別節目

   ④因為他們被這對夫婦的愛心感動了

3. ( ) 下列何者「不是」驚喜小組幫助提莎一家人所做的事情？

   ①把廚房變大了

   ②換了新的地毯

   ③買了全新的家具

   ④送給他們一輛十二人座的車子

4. ( ) 提莎為什麼要收養奧黛莉的三個小孩？

   ①因為她欠奧黛莉很多錢

   ②因為她不想讓小孩變成孤兒

   ③因為她覺得奧黛莉的小孩都很乖

④因為她想要有更多的孩子。

5.（　　）透過提莎做的事情，你覺得她是怎樣的人呢？

①情感豐富，因為她一直流眼淚

②有愛心，因為她收養了奧黛莉的小孩

③勇敢，因為她生了很多小孩

④念舊，因為她記得自己是在孤兒院長大的

6.（　　）提莎為什麼會說：「我自己就是在孤兒院裡長大的。」呢？

①她很想念孤兒院

②她不想讓小孩住在孤兒院裡

③她認為孤兒院裡有很好的裝潢

④她要把自己的家變成孤兒院

7.（　　）這個故事有哪些感人的情節？

①提莎家裡住了十個小孩

②驚喜小組幫助奧黛莉解決困境

③提莎不願孩子變成孤兒，決定領養他們

④驚喜小組獲得一輛十二人座的汽車

句句有型——連接詞「不僅… ， 也」

小朋友，我們今天要學「不僅…，也…」的連接詞，當你讀懂連接詞，更能看懂句子喔！

他們不僅隔間，也重新油漆了房子。
　　　　　↑　　　　　　↑
　　做的一件事情　　做的另一件事情

1. 請將「不僅…，也…」填進句子裡，再把句子唸一遍。

他（　　　）喜愛讀書，（　　　）熱愛運動。

他（　　　）喜歡吃飯，（　　　）喜歡吃麵。

2. 將以下兩個句子用「不僅…，也…」連結起來。

①會唱歌

②很會跳舞

✎ ＿＿＿＿＿＿＿＿＿＿＿＿＿＿＿＿＿＿

3. 請你練習「不僅…，也…」造句。

✎ 媽媽不僅買了香蕉， 也買了（　　　）。

✎ 弟弟不僅會打籃球， 也會（　　　）。

✎ 哥哥不僅會說英語， 也（　　　）日語。

故事分享

把故事分享給其他人聽，並請他們簽名。

聽完故事，你覺得怎麼樣？	請簽名
☑很好聽 ☐還不錯 ☐聽不懂 ☐其他	蘇小華
☐很好聽 ☐還不錯 ☐聽不懂 ☐其他	
☐很好聽 ☐還不錯 ☐聽不懂 ☐其他	

NOTE

7 忠犬小八

文章結構表 ✏

請依照文章，完成下列的文章結構表。

背景	本文一開始的重點是什麼？ ✏ 小八是被 _____ 收養的小狗，牠每天早上會護送主人去車站，每天下午會 _____ 。
起因	引發這個問題的原因是什麼？ ☐ 1.上野教授心臟病發住在醫院。 ☐ 2.上野教授在大學裡心臟病發死了。
問題	小八遇到什麼問題？ ✏ 牠在車站等不到 _____ 。
解決	這個問題怎麼解決？ ✏ 小八每天去車站等主人回家，牠持續等了_____ 。
結果	結果怎麼樣？ ☐ 1.小八等到主人，還跟他手牽手。 ☐ 2.小八直到過世都沒有等到主人。
迴響	故事結果後，引發其他人什麼樣的反應？ 為了紀念人狗間的友誼，有一所大學為小八和上野教授塑了一個重逢的銅像。

忠犬小八

　　最愛動物的上野教授，帶了一隻　　14
小狗回家。他抱著牠說：「你以後就叫　　31
小八吧。」　　36

　　小八長大以後，身體粗大、尾巴捲　　51
起，看起來十分強壯。小八很 嚴肅 ，不　　68
太叫，不太笑，也不像一般小狗那樣的　　85
追逐 、遊戲。牠唯一關心的，就是牠的　　102
主人。每天早上，主人提著皮包說：「上　　120
班囉！」小八會立刻搖尾巴，跟著主人　　137
走過 大街小巷 。一直護送主人走進了　　153
電車車站，小八才 掉頭 回家。每天傍　　169
晚，小八又從家門出發，五點整，到達　　186
車站準備 迎接 主人。牠 像鬧鐘一樣的 　　202
準時 。等到主人出站時，小八會立刻撲　　219
上去，想要舔牠最親愛的主人，這是牠　　236
一天中最快樂的時刻。　　246

　　不幸的是，有一天小八的主人在　　260
大學裡 心臟病發作 ，倒在地上，再也　　276
沒有醒過來。當天，小八沒有等到主人，　　294

64

牠不知道主人發生了什麼事。第二天下午五點，牠又在車站出現，還是沒有等到主人，牠嗚嗚的哭了起來。下雨天，牠等；下雪天，牠也等。牠一天一天的等下去，一個月一個月的等下去，一年一年的等下去。小八等了十年。牠從一隻 年輕漂亮 且 神采奕奕 的狗，變成一隻耳朵下垂、 走路蹣跚 ，滿身 髒兮兮 的老狗。

在某個冷天裡，下午五點，十一歲的小八 掙扎 著走到車站時，就在車站旁邊，腳一軟，再也站不起來。車站裡的工作人員都認識牠。許多人衝出來，把牠抱到一塊木板和草蓆上，希望牠不要睡在冰冷的地上。十幾個人圍著小八，替牠禱告，希望牠趕快康復。但牠實在太老了，過不了多久，就永遠閉上了牠的眼睛。

為了 紀念 這一段人狗間的 友誼 ，後來東京的一所大學，為小八和上野教授塑了一個 重逢 的銅像。小八撲到教授的身上，主人的手握住小八的前腳，眼睛對視著彼此。小八終於笑了。對小八來說，這裡就是天堂了吧。

311
328
345
362
379
396
412
428
432
447
463
480
497
514
530
547
564
570
584
601
617
634
651
664

流暢性訓練 ── 記錄表

請用計時器測量 1 分鐘朗讀的字數，並記錄在表格裡。

第一次讀	第二次讀	第三次讀	第四次讀	第五次讀
字	字	字	字	字

 如果你 1 分鐘唸 220 字以上，你超級厲害！👍

如果你 1 分鐘唸 190 字以內，可以多練習幾次。

 生字學習

✏ 請看「運」的示範並練習。

生字		練習	練習	部件組合	造詞（遮住生字寫）
運	ㄩㄣ			辶、冖、車	運動、幸運
逢	ㄈㄥ				重□ㄈㄥ、相□ㄈㄥ
達	ㄉㄚ				抵□ㄉㄚ、□ㄉㄚ成
邊	ㄅㄧㄢ				□ㄅㄧㄢ線、旁□ㄅㄧㄢ
逐	ㄓㄨ				□ㄓㄨ出、追□ㄓㄨ
堂	ㄊㄤ				禮□ㄊㄤ、教□ㄊㄤ
當	ㄉㄤ				□ㄉㄤ然、□ㄉㄤ心
授	ㄕㄡ				教□ㄕㄡ、傳□ㄕㄡ
握	ㄨㄛ				□ㄨㄛ手、把□ㄨㄛ

生字遊戲——賓果學習單

1. 找個同學跟你一起玩賓果吧！
2. 請在右方表格寫下生字：逢、達、邊、逐、堂、當、授、握。
3. 請你們輪流唸生字並圈起來。
   ★ 進階玩法：可以將生字造詞。
4. 最先連成三條線的人獲勝！

運		

 語詞學習

✏ 請把適合的語詞填在句子裡。

1. 爸爸平常看起來很＿＿＿＿＿＿＿，但他其實很和藹可親。

嚴肅／生氣

2. 她因為生病、全身無力，所以＿＿＿＿＿＿＿。

走路蹣跚／目瞪口呆

3. 在走廊上奔跑＿＿＿＿＿＿＿很危險。

追逐／驅逐

4. 巨人走路總是＿＿＿＿＿＿＿，很有精神。

盡善盡美／神采奕奕

5. 他與家人因戰爭只能相隔兩地，如今能＿＿＿＿＿＿＿真是太可喜可賀了。

重逢／重新

6. 每當我回家，小狗就會出來＿＿＿＿＿＿＿我。

接送／迎接

7. 弟弟聽到汽車聲，以為爸爸回來了，衝出去看發現是鄰居的汽車，弟弟只好＿＿＿＿＿＿＿。

掉頭回家／無家可歸

✏️ 挑戰看看：請把最適合的語詞填在短文裡。

爸爸說爺爺年輕時＿＿＿＿＿＿＿＿＿＿，每天工作到
神采奕奕 ／ 筋疲力竭 ／ 靈機一動
很晚，還是很有精神。

爺爺不喜歡小孩在家裡＿＿＿＿＿＿＿。每當有人跑跳
追逐 ／ 游泳 ／ 裝傻
時，爺爺就會很＿＿＿＿＿的看著小孩子們，這時大
裝傻 ／ 悲傷 ／ 嚴肅
家就知道要慢慢走，以免爺爺不開心。現在爺爺
年紀大了，＿＿＿＿＿＿＿＿，所以爺爺出門時，我都
恢復體力 ／ 走路蹣跚 ／ 神采奕奕
會＿＿＿＿＿他老人家，以免跌倒。
接送 ／ 迎接 ／ 歡送

 語詞複習

✏️ 找一找：請圈出格子內的語詞，並再讀一次語詞
後，將綠框內的語詞刪除。

強壯、追逐、困境、大街小巷、掉頭回家、難不倒、

熱淚盈眶、迎接、準時、嚴肅、發作、神采奕奕、

髒兮兮、重逢、危機四伏、筋疲力竭、走路蹣跚

時	追	髒	終	於	家	作	難	清	牙
準	逐	重	走	路	蹣	跚	筋	不	逐
了	壯	甜	逢	迎	強	壯	疲	肅	倒
神	熱	淚	盈	眠	回	發	力	發	追
顧	采	小	跚	竟	髒	氣	竭	作	逢
掉	相	奕	困	一	兮	大	街	小	巷
頭	大	準	奕	境	兮	足	甘	嚴	重
回	接	嚴	肅	迎	頭	十	迎	準	密
家	兮	接	危	機	四	伏	接	嘴	時

閱讀×理解

✏️ 請根據文章內容，選出最適合的答案。

1. （　　）下列哪一個「不是」小八的特徵？
　　①身體粗大　　②很嚴肅
　　③尾巴捲起　　④很愛叫

2. （　　）為什麼作者會說小八像鬧鐘一樣準時？

①因為牠像鬧鐘一樣吵醒主人

②因為牠很準時的吃飯

③因為牠每天五點整就到車站等主人

④因為主人希望牠成為一隻準時的狗

3.（　）忠犬小八一天中最快樂的事情是什麼？

①吃狗骨頭　　　②玩追逐遊戲

③舔主人　　　　④去車站

4.（　）「有一天主人在大學裡心臟病發作……再也沒有醒過來。」這句話是什麼意思？

①主人睡著了　　②主人變成植物人了

③主人過世了　　④主人得了心臟病

5.（　）「十幾個人圍著小八，……過不了多久，就永遠閉上了牠的眼睛。」這是指小八怎麼了？

①小八在睡覺

②小八過世了

③小八失明了

④小八不想理主人了

6.（　）你覺得小八是一隻怎樣的狗？

①目瞪口呆的狗

②努力向上的狗

③忠誠窩心的狗

④活潑可愛的狗

已經、疏散、無精打采、設法、招惹、掙扎、

危機四伏、即將、熱淚盈眶、緩緩、嚴肅、立刻、

神采奕奕、筋疲力竭

請依照詞彙的特性，將上列的語詞寫於適當的分類中。

1. 時間副詞：（表示時間的副詞）

　　已經、＿＿＿＿＿＿＿＿＿＿＿＿＿＿＿＿＿＿＿（有三個）

2. 形容詞：

　　無精打采、＿＿＿＿＿＿＿＿＿＿＿＿＿＿＿＿＿＿＿

　　＿＿＿＿＿＿＿＿＿＿＿＿＿＿＿（有五個）

3. 動作詞：

　　疏散、＿＿＿＿＿＿＿＿＿＿＿＿＿＿＿＿＿＿＿＿（有三個）

 故事分享

把這個故事講給其他人聽，並請他們簽名。

聽完故事，你覺得怎麼樣？	請簽名
☑很好聽 □還不錯 □聽不懂 □其他	蘇小華
□很好聽 □還不錯 □聽不懂 □其他	
□很好聽 □還不錯 □聽不懂 □其他	

NOTE

8 「恩恩」相報

文章結構表 ✏

請依照文章，完成下列的文章結構表。

背景	在紐西蘭有一家巧克力工廠，為了報答孩子們，連續舉辦十五年的「巧克力奔跑大賽」。
起因	引發這個問題的原因是什麼？ ☐ 1.巧克力原料變貴，舉辦比賽讓老闆虧錢。 ☐ 2.巧克力原料變貴，工廠買不起原料。
問題	巧克力工廠遇到什麼問題？ ☐ 1.沒有巧克力可以用。 ☐ 2.工廠快要破產。
解決	這個問題怎麼解決？ ✏ 紐西蘭人都被老闆感動了，紛紛 _____ 給這家公司，兩天一共募得四百萬元。 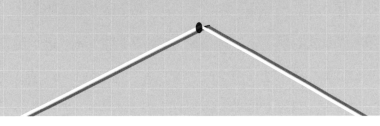
結果	結果怎麼樣？ ☐ 1.巧克力工廠賺大錢。 ☐ 2.巧克力工廠度過難關。

「恩恩」相報

紐西蘭有一條非常非常陡的街， 14
它是孩子們放學後騎腳踏車體驗速度 30
的樂園。這條街上有一家吉百利巧克力 47
工廠，因為孩子們愛吃巧克力，這個小 64
工廠慢慢變成一個大工廠。 76

工廠老闆對孩子們 心存感激 ，他 90
心裡總想著：「我要怎樣報答孩子們 106
呢？」終於在 2002 年，他利用這條陡街， 126
舉辦了第一次「奔跑的巧克力大賽」。 143
他將上萬個巧克力球編號，一顆賣一塊 160
錢，再從陡街的最高處 傾倒 下去。許 176
許多多的巧克力球沿街滾下，誰的球最 193
快滾到終點，誰就可以得到小禮物。而 210
一顆巧克力球一塊錢的收入， 正好 可 226
以幫助貧窮的孩子，或生重病的孩子。 243
這麼 刺激 、好玩又有意義的活動，第 259
一年就吸引了上千人參加。2016 年居然 278
來了一萬五千人。好多好多的巧克力 294
球，像瀑布一樣狂奔而下。 306

十五年來，這個活動已經募得一 320

百萬元，幫助了許多孩子——包括正與 336
絕症搏鬥 的孩子。然而，巧克力工廠卻 353
在 2017 年意外的宣布倒閉。原來巧克力 372
原料一年比一年貴，舉辦「奔跑的巧克 389
力大賽」讓老闆賠了太多的錢。「老闆， 407
停辦吧，我們都快破產了！」早就有員 424
工建議他。老闆卻說：「不行！雖然我們 442
很困難，但是有許多孩子更困難。我們 459
繼續舉辦。」 465

　　紐西蘭人都被老闆感動了， 紛紛 479
捐錢給這家公司，兩天內，一共募得四 496
百萬元。吉百利巧克力工廠終於度過難 513
關，老闆為此 泣不成聲 ，不停的感謝。 530
報紙登出這篇 感恩圖報 的故事，讀完 546
後，每個人心裡，都湧出像巧克力一樣 563
的香濃甜蜜呢！ 570

 流暢性訓練 — 記錄表

請用計時器測量 1 分鐘朗讀的字數，並記錄在表格裡。

第一次讀	第二次讀	第三次讀	第四次讀	第五次讀
字	字	字	字	字

 如果你 1 分鐘唸 220 字以上，你超級厲害！

 如果你 1 分鐘唸 190 字以內，可以多練習幾次。

生字學習

✏ 請看「握」的示範並練習。

生字		練習	練習	部件組合	造詞（遮住生字寫）
握 ㄨㄛ				手、屋	握手、把握
義 ㄧˋ					不☐ˋ、意☐ˋ
議 ㄧˋ					會☐ˋ、☐ˋ員
篇 ㄆㄧㄢ					短☐ㄆㄧㄢ、完結☐ㄆㄧㄢ
編 ㄅㄧㄢ					☐ㄅㄧㄢ織、☐ㄅㄧㄢ號
貧 ㄆㄧㄣ					☐ㄆㄧㄣ血、☐ㄆㄧㄣ窮
紛 ㄈㄣ					☐ㄈㄣ紛、☐ㄈㄣ亂
滾 ㄍㄨㄣˇ					☐ㄍㄨㄣˇ落、☐ㄍㄨㄣˇ燙
湧 ㄩㄥˇ					☐ㄩㄥˇ泉、☐ㄩㄥˇ入

生字遊戲 —— 連連看

1. 找個同學跟你一起玩賓果吧！

2. 請在右方表格寫下生字：握、義、議、篇、編、貧、紛、滾、湧。

3. 請你們輪流唸生字並圈起來。

   ★ 進階玩法：可以將生字造詞。

4. 最先連成三條線的人獲勝！

✏️ 請把適合的語詞填在句子裡。

1. 雖然我們想要去市場買菜，_____市場已經收攤了。 | 正好／然而

2. 一聽到超商大特價，民眾_____跑過來搶購。 | 紛紛／刺激

3. 當我在找人幫忙時，你_____從我前面走過來。 | 正好／紛紛

4. 學校運動會有許多_____的比賽項目。 | 激動／刺激

5. 看到自己心愛的玩具壞掉，弟弟哭得_____。 | 異口同聲／泣不成聲

✏️ 挑戰看看：請把最適合的語詞填在短文裡。

弟弟妹妹們正看著精采_____的卡通節目，
| 積極／激動／刺激

_____這時間_____是爸爸要看電視新聞
| 如果／然而／假如 | 正好／好奇／奇怪

的時間。當爸爸拿起遙控器準備轉臺，弟弟妹妹

們_____哭著臉轉頭看爸爸，拜託爸爸讓他們
| 紛紛／多多／歪歪

看卡通。媽媽接著說：「讓他們看一下吧！不然

他們又要哭得_____了。」。
| 泣不成聲／異口同聲／不敢出聲

77

✏️ 找一找：請圈出格子內的語詞，並再讀一次語詞後，將綠框內的語詞刪除。

老闆、追逐、然而、正好、紛紛、傾倒、泣不成聲、準時、度過難關、刺激、心存感激、狂奔而下、搏鬥、破產、重逢、感恩圖報

泣	聲	刺	破	追	搏	然	紛	心	傾
感	不	隔	產	紛	恩	大	追	存	泣
正	傾	成	然	過	然	紛	逐	感	不
假	好	老	聲	倒	而	傾	過	激	度
刺	報	感	闆	狂	隔	膽	感	正	紛
離	激	重	逢	奔	成	度	恩	傾	倒
紛	倒	正	泣	而	聲	過	圖	心	正
準	時	搏	圖	下	狂	難	報	傾	存
激	離	泣	離	紛	紛	關	然	搏	鬥

請根據文章內容，選出最適合的答案。

1. (　　) 依據文章，紐西蘭有一條非常陡的街，對孩子來說那是什麼樣的地方？

①危險，容易發生意外的地方

②玩滾球大賽的地方

③一起吃巧克力的地方

④騎腳踏車體驗速度的地方

2. (　　) 為什麼工廠老闆要舉辦「巧克力奔跑大賽」？

①因為老闆要賺錢

②因為老闆想報答孩子們

③因為老闆想吸引更多人來買巧克力

④因為老闆想讓孩子們體驗刺激的活動

3. (　　) 「巧克力奔跑大賽」募得的錢都用來做什麼？

①買更好的巧克力原料

②幫助許多需要幫助的孩子

③分給家裡貧窮但努力工作的員工

④捐給老人之家，幫助年長的人

4. ( ) 老闆都快破產了，為什麼他還要舉辦「巧克力奔跑大賽」？

　①因為這是老闆的童年回憶

　②因為「巧克力奔跑大賽」能幫他賺錢

　③因為老闆想幫助更多困難的孩子

　④因為有很多孩子想參加這個比賽

5. ( ) 巧克力工廠為什麼最後沒有倒閉？

　①因為紐西蘭人捐錢給這家公司

　②因為老闆從「巧克力奔跑大賽」賺很多錢

　③因為有其他人把這家公司買起來

　④因為老闆的爸爸給他四百萬

 句句有型——連接詞「但是…」

小朋友，我們今天要學「但是…」的連接詞，當你讀懂連接詞，更能看懂句子喔！

我們很困難，但是有許多孩子更困難。

↑　　　　　　　　　　↑

這句是一件事　　　另一件（程度更強或相反的）事情

1. 請將 但是… 填進句子裡，再自己唸一次。

我沒有錢，（　　　　　　　）我有健康的身體。

2. 請勾選最適合的答案，完成句子。

✏ 我不聰明， 但是 ☐ 我很努力。

☐ 我很喜歡出門玩。

✏ 我有錢， 但是 ☐ 我很窮。

☐ 我沒有朋友。

3. 請連連看。

他很努力　　　　　　　　　　　　• 但是眼前還有更大的困難需要克服

他有九十公斤重　　•　　• 但是打球的時候很靈活

他克服了許多困難　•　　• 但是他失敗了

4. 將以下兩個句子用 但是… 連結起來。

①我媽媽煮的飯菜更好吃

②外面賣的便當很好吃

✏ _____

把這個故事跟其他人分享,並請他們簽名。

聽完故事,你覺得怎麼樣?	請簽名
☑ 很好聽　☐ 還不錯　☐ 聽不懂　☐ 其他	蘇小華
☐ 很好聽　☐ 還不錯　☐ 聽不懂　☐ 其他	
☐ 很好聽　☐ 還不錯　☐ 聽不懂　☐ 其他	

NOTE

9 鐵人修女

文章結構表

請依照文章，完成下列的文章結構表。

主角	✏ _____
背景	她是一位修女。她參加過四十六次「鐵人三項」比賽。
經過	參賽過程，她做過哪些事？（有三個答案） ☐ 1.參加鐵人三項時，她需要先游一千五百公尺，騎自行車四十公里，還要路跑十公里。 ☐ 2.每天去運動場跑步，去游泳池游泳。 ☐ 3. 2005 年參加美國夏威夷「超級」鐵人大賽，用十六小時完成比賽。 ☐ 4. 2014 年夏威夷大賽失敗了。
迴響	✏ 1.她認為唯一的失敗就是_____。 ✏ 2.努力本身就是一種_____和_____。

鐵人修女

　　瑪當娜是一位修女，她參加過四　　14
十六次「鐵人三項」比賽。鐵人三項運　31
動是由長距離的游泳、騎自行車和跑步　48
組成。每一次參加標準的鐵人三項比　　64
賽，瑪當娜和所有的選手一樣， 必須 　80
先游泳一千五百公尺。氣喘吁吁上岸之　97
後，再來要騎上自行車，在公路上奔馳　114
四十公里。最後，還要路跑十公里。每　131
一位選手都要 具備 鋼鐵一般的體力和　147
意志力 ，才可能完成比賽。　　　　　159

　　所有的鐵人們，為了參加比賽，需　174
要大量的練習。瑪當娜也不例外。她把　191
訓練融入每日的生活，她每天早上會長　208
跑去教會；每天在湖裡練習游泳；每天　225
騎自行車六十四公里， 相當於 從臺北　241
市騎到宜蘭市。　　　　　　　　　　248

　　2005 年，美國的夏威夷有一場非常　265
辛苦、非常困難的「超級鐵人大賽」。選　283
手要游四公里，要騎自行車一百八十公　300

里，還要跑馬拉松四十二公里。選手必 317

須在十七小時之內完成，但瑪當娜只用 334

了十六小時，當年，她已經七十五歲了。 352

　　她不是每一次都成功，有一次她 366

跌斷了骨頭，躺在家裡休養了很久才康 383

復。2014 年她在夏威夷大賽失敗，有人 402

以為她會因此放棄鐵人三項，但她並沒 419

有打退堂鼓，她說：「唯一的失敗就是 436

放棄 嘗試 ，贏得掌聲並不是我的目的， 453

努力本身就是一種成功和獎賞。」她六 470

十五歲第一次完成鐵人三項比賽，今年 487

她八十六歲了，是有史以來最年長的鐵 504

人。 506

流暢性訓練 ── 記錄表

請用計時器測量 1 分鐘朗讀的字數，並記錄在表格裡。

第一次讀	第二次讀	第三次讀	第四次讀	第五次讀
字	字	字	字	字

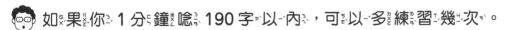 如果你 1 分鐘唸 220 字以上，你超級厲害！

如果你 1 分鐘唸 190 字以內，可以多練習幾次。

請看「掌」的示範並練習。

生字	練習	練習	部件組合	造詞（遮住生字寫）
掌 ㄓㄤˇ			尚、手	手掌、掌握
嘗 ㄔㄤˊ				品 □ ㄔㄤˊ、□ ㄔㄤˊ 試
賞 ㄕㄤˇ				欣 □ ㄕㄤˇ、□ ㄕㄤˇ 鳥
堂 ㄊㄤˊ				□ ㄊㄤˊ 弟、教 □ ㄊㄤˊ
躺 ㄊㄤˇ				□ ㄊㄤˇ 椅、□ ㄊㄤˇ 下
組 ㄗㄨˇ				分 □ ㄗㄨˇ、□ ㄗㄨˇ 織
阻 ㄗㄨˇ				□ ㄗㄨˇ 擋、□ ㄗㄨˇ 止
喘 ㄔㄨㄢˇ				氣 □ ㄔㄨㄢˇ、□ ㄔㄨㄢˇ 氣
需 ㄒㄩ				□ ㄒㄩ 要、□ ㄒㄩ 求

生字遊戲──賓果學習單

1. 找個同學跟你一起玩賓果吧！
2. 請在右方表格寫下生字：掌、嘗、賞、堂、躺、組、阻、喘、需。
3. 請你們輪流唸生字並圈起來。
4. 最先連成三條線的人獲勝！

✏️ 請把適合的語詞填在句子裡。

1. 成功沒有捷徑，你＿＿＿＿＿＿付出努力。 　　必須 ／需求

2. 今天一天的作業量，＿＿＿＿＿＿
平常一週的量，今天的功課好　　相當於 ／意志力
多啊！

3. 這支球隊＿＿＿＿＿＿一切能勝利的
條件，唯獨球員們彼此意見不合，　　準備 ／具備
才無法拿下優勝。

4. 他睡得很沉，我＿＿＿＿＿＿叫醒他卻
叫不醒。　　經常 ／嘗試

5. 面對美食，他缺少克制的
＿＿＿＿＿＿。　　意志 ／意思

✏️ 挑戰看看：請把最適合的語詞填在短文裡。

毛毛蟲＿＿＿＿＿＿憑著＿＿＿＿＿＿，自己破蛹而出。
需求 ／必須 ／不需　　意志 ／智慧 ／知識
如果有人在毛毛蟲破蛹過程中＿＿＿＿＿＿幫忙把
嘗試 ／品嘗 ／經常
蛹剪開，會害牠無法順利變成蝴蝶。破蛹而出

後，蝴蝶必須要緊抓著樹葉，等待身體的水分流

到翅膀裡，才能＿＿＿＿＿＿飛行的能力，這個等待
具體 ／準備 ／具備
期間＿＿＿＿＿＿再次重生的關鍵時刻。
相當於 ／當然 ／相信

語詞複習

找一找：請圈出格子內的語詞，並再讀一次語詞後，將綠框內的語詞刪除。

選手、刺激、融入、史上、意志力、奔馳、搏鬥、相當於、放棄嘗試、必須、氣喘吁吁、正好、具備、傾倒、打退堂鼓

史	判	奔	堂	須	氣	融	意	正	好
分	棄	傾	馳	堂	具	喘	志	復	斷
打	入	意	倒	鼓	備	退	吁	退	奔
相	選	志	馳	史	上	元	析	吁	預
當	斷	力	備	吁	奔	融	史	備	上
於	氣	選	手	析	預	入	馳	判	退
喘	退	復	上	放	棄	嘗	試	堂	鼓
刺	激	馳	融	搏	嘗	意	分	預	必
打	退	堂	鼓	奔	鬥	史	鼓	入	須

請根據文章內容，選出最適合的答案。

1.（　）鐵人三項「不」包含下列哪個項目？

　①游泳　　②跳遠　　③自行車　　④跑步

2.（　）一般的鐵人三項要騎自行車幾公里？

　①四十公里　　②一百八十公里　　③十公里
　④四十二公里

3.（　）猜猜看，為什麼選手被稱為鐵人？

　①因為選手們都被太陽晒得像鐵一樣黑

　②因為選手們要有鋼鐵般的體力與意志

　③因為選手們的肌肉像鐵一樣硬

　④因為比賽的獎牌是鐵做的

4.（　）面對 2014 年夏威夷大賽的失敗，瑪當娜的態度是什麼？

　①打退堂鼓　　②不嘗試　　③不承認　　④不放棄

5.（　）為什麼夏威夷的比賽叫「超級」鐵人大賽？

　①因為只有超人才能參加

　②因為它特別困難

　③因為夏威夷人都很厲害

　④因為比賽場地特別好

6.（　）你覺得瑪當娜是一位怎樣的人呢？

　①害怕挑戰的人

　②輕言放棄的人

　③有苦難言的人

　④有鋼鐵般意志的人

句句有型——連接詞「為了…，必須…」

 小朋友，我們今天要學「為了…，必須…」的連接詞。當你讀懂連接詞，更能看懂句子喔！

> 她為了參加鐵人三項，必須每天跑步、游泳。
>
>   ↑   ↑
>
> 這句是目的   這句是要達到目的的作法

1. 請將 為了…，必須… 填進句子裡，再自己唸一次。

（　　　　　）讓成績變好，（　　　　　）專心上課和寫作業。

2. 請勾選最適合的答案。

✎ 為了早起，我必須 □ 吃早餐 □ 早睡。

✎ 為了有好的表現，我必須 □ 努力練習
□ 每天早起。

✎ 為了 □ 成功 □ 考試，我必須要堅持到底。

3. 請連連看。

為了要長高   •   •   必須努力存錢

買變形金剛   •   •   必須少玩手機

為了不要近視   •   •   必須多吃營養的食物

4. 將以下兩個句子用 為了…，必須… 連結起來。

①每天揉麵糰，學做麵包

②當上麵包師傅

✎ _____

故事分享

把這個故事跟其他人分享，並請他們簽名。

聽完故事，你覺得怎麼樣？	請簽名
☑ 很好聽　□ 還不錯　□ 聽不懂　□ 其他	蘇小華
□ 很好聽　□ 還不錯　□ 聽不懂　□ 其他	
□ 很好聽　□ 還不錯　□ 聽不懂　□ 其他	

NOTE

NOTE

10 你敢喝馬桶水嗎？

文章結構表 ✏

請依照文章，完成下列的文章結構表。

主角	本課的主角是誰？ ☐ 1.野田聖子　　☐ 2.老清潔工
背景	主角在東京帝國大飯店工作，很努力工作。
問題	主角遇到什麼問題？ ☐ 1.她不敢喝馬桶水。 ☐ 2.她不想掃廁所。
解決	問題怎麼解決？（答案有兩個） ☐ 1.老清潔工鼓勵聖子要打起精神，並從打掃乾淨的馬桶裡，舀一杯水喝下去。 ☐ 2.聖子下定決心，要學習老清潔工的敬業態度。 ☐ 3.聖子決定要練習喝馬桶水，她要讓長官目瞪口呆。
結果	結果怎麼樣？ 飯店經理和長官們來看聖子的工作成果，她從刷好的馬桶裡舀出一杯水並喝下去，讓所有人看得目瞪口呆。
迴響	故事結果，引發哪些事情？ ✏ 1.聖子成為全飯店表現 _____ 的員工。 ✏ 2.十二年後，聖子成為日本第一位女性 _____。

你敢喝馬桶水嗎？

　　野田聖子是日本人，她大學畢業　　14

後進入東京帝國大飯店工作，這是全日　31

本最高級的飯店。　　　　　　　　　39

　　飯店經理說：「聖子，你的工作是　54

去房間鋪床、整理垃圾、掃廁所。」聖子　72

心想：「好不容易才進來這間飯店，我　89

要好好表現才行。」聖子很努力，她到　106

房間鋪床，想要做到盡善盡美；她整　122

理垃圾，想要做到盡善盡美；她清掃廁　139

所，想要做到盡善盡美。但是，廁所是　156

客人大小便的地方，每次掃廁所，聖子　173

會想：「我是個大學畢業生，為什麼要　190

在這裡刷馬桶？」想到這裡，她的笑臉　207

變成臭臉，好像剛剛吃了大便的樣子。　224

　　一旁工作的老清潔工對聖子說：　238

「年輕人，打起精神！」老清潔工把馬桶　256

洗得亮晶晶，她說：「我刷洗過的馬桶　273

最乾淨了。」說完，就從馬桶裡舀一杯　290

水，喝了下去：「乾淨得連馬桶水都可　307

94

以喝呢！」。聖子看得 目瞪口呆 ：「我 324
能做到像她一樣的程度嗎？」她下定決 341
心，要學習老清潔工的 敬業 態度。 356

　　每次洗完馬桶，她也自問：「這馬 371
桶水乾淨到能喝嗎？」有一天，飯店經 388
理和長官們來考核聖子的工作成果，她 405
從刷好的馬桶裡舀出一杯水喝下去，讓 422
所有的長官看得目瞪口呆。 434

　　之後，聖子帶著敬業的態度，努力 449
把每一件事做到盡善盡美，成為全飯店 466
表現最佳的員工。十二年後，聖子 獲得 483
賞識 ，被首相 聘請 成為日本第一位擔 499
任郵政大臣的女性，當年她才三十七 515
歲。 517

 流暢性訓練 ── 記錄表

請用計時器測量 1 分鐘朗讀的字數，並記錄在表格裡。

第一次讀	第二次讀	第三次讀	第四次讀	第五次讀
字	字	字	字	字

如果你 1 分鐘唸 220 字以上，你超級厲害！

如果你 1 分鐘唸 190 字以內，可以多練習幾次。

生字學習

✏ 請看「到」的示範並練習。

生字		練習	練習	部件組合	造詞（遮住生字寫）
到	ㄉㄠ			至、刂	做到底、到達
廁	ㄘㄜ				如□ㄘㄜ、□ㄘㄜ所
刷	ㄕㄨㄚ				牙□ㄕㄨㄚ、□ㄕㄨㄚ子
剛	ㄍㄤ				□ㄍㄤ才、□ㄍㄤ好
敬	ㄐㄧㄥ				□ㄐㄧㄥ禮、尊□ㄐㄧㄥ
政	ㄓㄥ				□ㄓㄥ府、□ㄓㄥ策
整	ㄓㄥ				□ㄓㄥ理、□ㄓㄥ齊
惑	ㄏㄨㄛ				疑□ㄏㄨㄛ、困□ㄏㄨㄛ
態	ㄊㄞ				□ㄊㄞ度、姿□ㄊㄞ

生字遊戲——賓果學習單

1. 找一個同學跟你一起玩賓果吧！

2. 請在右方表格寫下生字：廁、刷、剛、敬、政、整、惑、態。

3. 請你們輪流唸生字並圈起來。
   ★ 進階玩法：可以將生字造詞。

4. 最先連成三條線的人獲勝！

到		

96

✏️ 請把適合的語詞填在句子裡。

1. 學校＿＿＿＿＿＿＿一位新的
   音樂老師來上課。

   聘請／請客

2. 哥哥在公司表現驚人，經
   常＿＿＿＿＿＿＿。

   獲得賞識／目瞪口呆

3. 馬戲團的老虎竟然會跳
   火圈，讓在場的觀眾看得
   ＿＿＿＿＿＿＿。

   靈機一動／目瞪口呆

4. 聖子＿＿＿＿＿＿＿的精神，讓
   主管相當佩服。

   敬業／尊敬

5. 妹妹對自己要求很高，把
   事情做得＿＿＿＿＿＿＿。

   真相大白／盡善盡美

✏️ 挑戰看看：請把最適合的語詞填在短文裡。

阿博是一位非常＿＿＿＿＿的清道夫，每天都把馬路

尊敬／敬業／敬禮

打掃得＿＿＿＿＿＿＿，連一粒塵沙都沒有。

目瞪口呆／真相大白／盡善盡美

這讓一旁的民眾看得個個＿＿＿＿＿＿＿。沒多久，

目瞪口呆／真相大白／盡善盡美

阿博因為敬業的精神，獲得清潔公司老闆的

＿＿＿＿＿＿＿。老闆決定＿＿＿＿＿＿＿阿博到公司擔任主

認識／考試／賞識　　聘請／請客／請教

管。這讓阿博開心極了。

✏️ 找一找：請圈出格子內的語詞，並再讀一次語詞後，將綠框內的語詞刪除。

乾淨、必須、奔馳、獲得、賞識、具備、相當於、
好不容易、舀水、目瞪口呆、融入、程度、敬業、
意志力、盡善盡美、聘請

獲	得	水	意	嘴	程	慌	創	具	不
斷	美	爭	度	志	賞	度	心	備	張
好	盡	賞	識	舀	力	美	已	聘	賞
倒	不	敬	善	鬥	水	業	相	當	於
融	奪	容	業	乾	淨	哄	異	水	識
入	必	乾	易	易	盡	善	盡	美	程
不	須	瞪	好	容	判	鬧	奔	舀	請
張	聘	難	目	瞪	口	呆	容	馳	敬
口	業	請	不	識	獲	即	請	程	業

98

請根據文章內容，選出最適合的答案。

1. （　）聖子的工作「不」包含下列哪個項目？

①鋪床　　　　　　②櫃臺服務員

③整理垃圾　　　　④清掃廁所

2. （　）文章提到：「聖子很努力……想要做到盡善盡美」，請問「盡善盡美」是什麼意思？

①非常美麗　　　　②很善良

③非常完美　　　　④很努力

3. （　）為什麼聖子會說：「我大學畢業，為什麼要在這裡刷馬桶」？

①因為廁所很髒

②因為她覺得掃廁所是低下的工作

③因為大學畢業的人都不會去掃廁所

④因為她吃到大便

4. （　）為什麼老清潔工敢喝下馬桶水？

①因為她很敬業　　　②因為她不怕髒

③因為那是開水　　　④因為馬桶刷得很乾淨

5. （　）聖子為什麼會獲得日本首相的賞識？

①因為聖子敢喝馬桶水

②因為聖子美麗又善良

③因為聖子把馬桶刷得很乾淨

④因為聖子很敬業，事情做得很好

6. (　　) 你覺得聖子「不是」一位怎樣的人呢？

　　① 目瞪口呆的人

　　② 努力向上的人

　　③ 勇於挑戰的人

　　④ 敬業的人

 神奇化妝術——譬喻法

為了讓人事物更生動、具體且容易理解，我們很常會用「譬喻法」，如 A 像 B 來幫句子做裝扮喔！來看幾個例子吧！

 範例：

1. 妹妹長得 像 一朵鮮花， 好美啊！
　 某人事物　　　　比喻的物品

2. 他跑得 像 火箭一樣快。
　 某人事物　 比喻的物品

3. 人體模型長得 像 真人一樣。
　 某人事物　　　　　比喻的物品

 練習一：連連看

1. 妹妹的臉頰紅得像　　　•　　　•　　石頭。

2. 你的手冷得像　　　•　　　•　　蘋果。

3. 這饅頭硬得像　　　•　　　•　　獅子。

4. 這隻狗長得像　　　•　　　•　　冰塊。

練習二：填填看

1. 細繩看起來像＿＿＿＿＿＿＿。

2. 雲朵看起來像＿＿＿＿＿＿＿。

3. ＿＿＿＿＿＿＿看起來像數字 3。　【提示：人的一種五官】

故事分享

把這個故事講給其他人聽，並請他們簽名。

聽完故事，你覺得怎麼樣？	請簽名
☑很好聽　□還不錯　□聽不懂　□其他	蘇小華
□很好聽　□還不錯　□聽不懂　□其他	
□很好聽　□還不錯　□聽不懂　□其他	

NOTE

11 發明家愛迪生

文章結構表 ✏

請依照文章，完成下列的文章結構表。

主角	本課的主角是誰？＿＿＿＿
背景	愛迪生愛發問，學校認為他是低能兒，將他退學。
經過	過程發生哪些事？請你依照發生的順序，填入 1、2、3、4。 □ 十二歲時，在火車上做實驗，結果車廂燒了，他的工作也沒了。 □ 媽媽決定自己教愛迪生。 □ 二十一歲後，研發各種科學儀器，慢慢闖出名號。 □ 三十二歲時，他成立了自己的實驗發明中心，發明了複印機、電影攝影機、改良電話機、錄音機、電燈。
結果	結果怎麼樣？ 愛迪生說：「我沒有一項發明是碰巧得來的，這都是百分之一的靈感和百分之九十九的汗水換來的。」 ✏ 在不斷嘗試及努力後，終於成為最偉大的＿＿＿＿。

發明家愛迪生

　　愛迪生是一位偉大的發明家，一 14

生發明的品項超過兩千多種。他小時候 31

對萬物十分好奇，又超愛發問，不斷的 48

問為什麼。有一次上數學課，愛迪生問： 66

「為什麼一加一等於二呢？」老師 張口 83

結舌 ，實在不知道怎麼回答。愛迪生去 100

學校上課不到三個月，老師把愛迪生的 117

媽媽找來，對她說：「這孩子是低能兒， 135

總是問一些可笑的問題，讓我們很 困 151

擾 ，你還是把他帶回家吧！」媽媽很氣 168

老師 推卸責任 ，決定自己教愛迪生。 184

　　愛迪生不僅愛發問，也喜歡親自 198

做做看。有一次他問媽媽：「為什麼母 215

雞總是坐在雞蛋上呢？」媽媽告訴他答 232

案後，愛迪生也學母雞孵蛋，結果壓碎 249

一窩蛋。有一次，媽媽告訴他毛皮 摩擦 266

可以生電，愛迪生很興奮的抓兩隻貓來 283

嘗試，結果被貓瘋狂亂抓、落得滿身是 300

傷。十二歲的愛迪生開始在火車上當報 317

童，賣報紙和糖果，他也把 實驗 材料 333

搬上火車，一邊工作一邊做實驗，不料，　　351
實驗出了差錯，車廂燒了，他的工作也　　368
沒了。二十一歲後，愛迪生憑著對機械　　385
的了解及精良的維修技術，研發出各種　　402
電器用品，慢慢的 闖出名號 。三十二　　418
歲時，愛迪生成立了自己的實驗發明中　　435
心， 陸續 發明了複印機、電影攝影機，　　452
改良電話機、留聲機等。　　463

　　愛迪生說：「我沒有一項發明是碰　　478
巧得來的，這都是百分之一的靈感和百　　495
分之九十九的汗水換來的。就像最知名　　512
電燈泡的發明，是一點 靈感 加上一千　　528
六百多次的嘗試才成功的。」又好奇又　　545
愛發問的愛迪生，一輩子保持著他的　　561
好奇心 ，永遠都在問為什麼。在不斷嘗　　578
試及努力後，終於成為最偉大的發明　　594
家。　　596

流暢性訓練 —— 記錄表

請用計時器測量1分鐘朗讀的字數，並記錄在表格裡。

第一次讀	第二次讀	第三次讀	第四次讀	第五次讀
字	字	字	字	字

 如果你1分鐘唸220字以上，你超級厲害！ 👍

 如果你1分鐘唸190字以內，可以多練習幾次。

請看「打」的示範並練習。

生字		練習	練習	部件組合	造詞（遮住生字寫）
打 ㄉㄚˇ				扌、丁	打球、打雷
擾 ㄖㄠˇ					打 □ㄖㄠˇ、□ㄖㄠˇ 亂
摩 ㄇㄛˊ					□ㄇㄛˊ 擦、觀 □ㄇㄛˊ
擦 ㄘㄚ					□ㄘㄚ 拭、□ㄘㄚ 藥
驗 ㄧㄢˋ					□ㄧㄢˋ 證、實 □ㄧㄢˋ
憑 ㄆㄧㄥˊ					□ㄆㄧㄥˊ 藉、□ㄆㄧㄥˊ 證
闖 ㄔㄨㄤˇ					□ㄔㄨㄤˇ 關、□ㄔㄨㄤˇ 蕩
訴 ㄙㄨˋ					告 □ㄙㄨˋ、□ㄙㄨˋ 求
試 ㄕˋ					□ㄕˋ 卷、嘗 □ㄕˋ

1. 找個同學跟你一起玩賓果吧！

2. 請在右方表格寫下生字：擾、摩、擦、驗、憑、闖、訴、試。

3. 請你們輪流唸生字並圈起來。
   ★ 進階玩法：可以將生字造詞。

4. 最先連成三條線的人獲勝！

打		

請把適合的語詞填在句子裡。

1. 老師上課時問問題，他
＿＿＿＿＿＿＿＿，不知道該說什麼。

笑不攏嘴／
張口結舌

2. 弟弟的＿＿＿＿＿＿＿是：他不知道怎麼樣綁鞋帶。

困擾／困住

3. 弟弟做錯事，還＿＿＿＿＿＿說是別人的錯，讓媽媽更生氣。

推卸責任／
推三阻四

4. 天冷時，哥哥藉由＿＿＿＿＿＿雙手，讓冰冷的手溫暖了起來。

摩擦／擦拭

5. 上自然課時，老師教我們如何動手做化學＿＿＿＿＿。

實驗／實際

6. 林義傑靠著永不放棄的信念在超級馬拉松界＿＿＿＿＿＿，他的精神值得學習。

榜上無名／
闖出名號

7. 春天來了，校園中各式各樣的花朵都＿＿＿＿＿＿盛開，空氣中充滿香味。

陸續／繼續

8. 寫作文不能只靠＿＿＿＿＿，要多閱讀與增加生活經驗，並練習才會進步。

靈異／靈感

9. 小朋友的＿＿＿＿＿＿與想像力，可以引發許多發明的主意。

好奇心／同情心

挑戰看看：請把最適合的語詞填在短文裡。

冬天穿毛衣或羽絨外套時，總有一個＿＿＿＿＿＿，那就是靜電。

困擾 ／困住 ／困獸

毛料和皮膚＿＿＿＿＿＿會產生靜電，甚至還會發出劈里啪啦的聲響呢！

切磋 ／摩擦 ／模型

爸爸、媽媽這幾天都＿＿＿＿＿＿被靜電電到，他們

陸續 ／陸地 ／延續

真的很＿＿＿＿＿＿要如何才能避免脫衣服時產生

耽誤 ／好奇 ／好勝

的靜電，於是他們從書上尋求靈感，其中一個方法是在洗衣服時加入錫箔紙一起洗，＿＿＿＿＿＿過

實務 ／實際 ／實驗

後發現，如此一來可以有效的防止靜電，並延長衣服壽命。

語詞複習

找一找：請圈出格子內的語詞，並再讀一次語詞後，將綠框內的語詞刪除。

發問、孵蛋、張口結舌、敬業、困擾、推卸責任、摩擦、實驗、聘請、舀水、闖出名號、壓碎、陸續、靈感、好奇心

摩	擦	明	敬	闖	摩	水	驗	困	號
問	聘	靈	號	出	孵	陸	口	擾	好
擾	續	請	鑿	名	口	推	結	蛋	碎
卸	舌	張	陸	號	發 問	卸	奇	闖	
任	口	困	口	壓	掏	蛋	聘	責	名
折	舀	水	敬	結	舀	陸	續	心	任
好	問	推	實	擦	舌	推	水	即	壓
孵	奇	業	驗	壓	偉	實	敬	業	靈
蛋	感	心	名	模	碎	請	摩	異	感

✏ 請根據文章內容，選出最適合的答案。

1. （　　）請問愛迪生是一位？

　　①運動員　　②報童　　③老師　　④科學家

2.（　）為何老師要請愛迪生的媽媽將愛迪生帶回家？

①老師覺得愛迪生是資優生

②老師無法回答愛迪生的問題

③老師想要愛迪生多問為什麼

④媽媽想讓愛迪生讀更多書

3.（　）請問從文章何處可以判斷愛迪生喜歡動手操作？

①他問媽媽許多問題

②他嘗試學母雞孵蛋

③他在火車上賣報紙和糖果

④他一直保持好奇心

4.（　）為什麼愛迪生要說每一項發明都不是碰巧得來的？

①因為愛迪生非常好奇，又愛發問

②因為每次發明都要努力嘗試，多次修正錯誤

③因為愛迪生怕別人說他過於驕傲

④因為愛迪生的媽媽是如此教導他的

5.（　）請問愛迪生為什麼能成為偉大的發明家？

①他對機械的構造很了解，維修技術良好

②他不甘心被說總是在問可笑的問題

③他一直努力追求，想解開心中的疑問

④他擁有一家實驗發明中心

小朋友，我們今天要學「一邊…，一邊…」的連接詞，當你讀懂連接詞，更能看懂句子喔！

他把實驗材料搬上火車，<u>一邊工作</u>

↑這句是同時做的第一件事。

一邊做實驗。← 這句是同時做的另一件事。

※ 你注意到了嗎？「做工作」和「做實驗」是同一個人，因此，另一件事，不用把人再寫一次。

1. 請勾選最適合的答案，完成句子。

🖊 小狗一邊追著尾巴轉圈圈， 一邊□ 汪汪叫。

□ 哈哈笑。

🖊 奶奶躺在搖椅上一邊吹風， 一邊□ 散步。

□ 看報紙。

🖊 爸爸一邊□ 開車， 一邊唱歌。

□ 吃飯

🖊 我一邊聽老師上課， 一邊□ 偷偷睡覺。

□ 認真做筆記。

2.請連連看。（有兩個可能的答案）

第一件事

弟弟一邊吃飯

另一件事

一邊看電視。

一邊刷牙。

一邊玩手機。

3.將以下兩個句子用 一邊…，一邊… 連結起來。

①老闆跟客人推銷商品

②老闆忙著結帳

✏ _____

 故事分享

把這個故事講給其他人聽，並請他們簽名。

聽完故事，你覺得怎麼樣？	請簽名
☑很好聽　□還不錯　□聽不懂　□其他	蘇小華
□很好聽　□還不錯　□聽不懂　□其他	
□很好聽　□還不錯　□聽不懂　□其他	

12 飛機撞上馴鹿

文章結構表 ✎

請依照文章，完成下列的文章結構表。

背景	每年約有一百多架飛機失事，造成很多死傷。
起因	引發這個問題的原因是什麼？ □ 1.有一架美國飛機失事了。 □ 2.有禿鷹撞到飛機。
問題	動物學家遇到什麼問題？ 想知道飛機失事的原因。

經過	假設	做法	結果
	飛機失事原因是遭受鳥擊。	動物學家對飛機上遺留的血做仔細的分析。	發現飛機上的血是 ＿＿＿＿。
	飛機失事原因不可能是被馴鹿撞。	動物學家再做一次 ＿＿＿＿。	原來是禿鷹吃了馴鹿的肉，然後飛到高空和飛機相撞。

結果	結果怎麼樣？ ✎ 飛機失事是因為 ＿＿＿＿。

飛機撞上馴鹿

　　每年大約會有一百多架飛機失事，　　15
造成很多死傷。為了能 預防 飛機失事，　　32
有一群科學家專門研究失事的原因。有　　49
的飛機是因為機械故障而失事；有的飛　　66
機是因為暴風雨而失事；有的飛機則是　　83
因為受到「鳥擊」而失事———有大型的　　99
鳥類撞到飛機了。　　107

　　飛機的速度很快，鳥的速度也很　　121
快。鳥撞到飛機之後，立刻血肉模糊，　　138
飛機上只能找到一點點血肉。動物學家　　155
必須仔細分析這一點點血肉，才能 判　　171
斷 這是什麼鳥。常見的鳥擊有鴿子、雁　　188
鴨和老鷹。　　193

　　有一次，一架美國的飛機失事了。　　208
動物學家 分析 留在飛機上的血之後　　223
說：「這是馴鹿的血！」「不可能！馴鹿　　241
又不會飛。 難道 是和耶誕老人的馴鹿　　257
車相撞了嗎？」動物學家再次分析了血　　274
液，他說：「這的確是馴鹿的血。」　　290

原ㄩㄢˊ來ㄌㄞˊ，是ㄕˋ一ㄧˋ隻ㄓ禿ㄊㄨ鷹ㄧㄥ吃ㄔ了ㄌㄜ˙馴ㄒㄩㄣˊ鹿ㄌㄨˋ的ㄉㄜ˙屍ㄕ 304

體ㄊㄧˇ，然ㄖㄢˊ後ㄏㄡˋ飛ㄈㄟ到ㄉㄠˋ高ㄍㄠ空ㄎㄨㄥ和ㄏㄢˋ飛ㄈㄟ機ㄐㄧ相ㄒㄧㄤ撞ㄓㄨㄤˋ了ㄌㄜ˙。還ㄏㄞˊ有ㄧㄡˇ 321

一ㄧˋ次ㄘˋ失ㄕ事ㄕˋ，飛ㄈㄟ機ㄐㄧ上ㄕㄤˋ的ㄉㄜ˙血ㄒㄧㄝˇ 居ㄐㄩ然ㄖㄢˊ 是ㄕˋ魚ㄩˊ的ㄉㄜ˙血ㄒㄧㄝˇ。 338

難ㄋㄢˊ道ㄉㄠˋ魚ㄩˊ會ㄏㄨㄟˋ飛ㄈㄟ嗎ㄇㄚˇ？你ㄋㄧˇ來ㄌㄞˊ猜ㄘㄞ猜ㄘㄞ看ㄎㄢˋ這ㄓㄜˋ是ㄕˋ怎ㄗㄣˇ麼ㄇㄜ˙ 354

回ㄏㄨㄟˊ事ㄕˋ？ 357

 流ㄌㄧㄡˊ暢ㄔㄤˋ性ㄒㄧㄥˋ訓ㄒㄩㄣˋ練ㄌㄧㄢˋ —— 記ㄐㄧˋ錄ㄌㄨˋ表ㄅㄧㄠˇ

請ㄑㄧㄥˇ用ㄩㄥˋ計ㄐㄧˋ時ㄕˊ器ㄑㄧˋ測ㄘㄜˋ量ㄌㄧㄤˋ1分ㄈㄣ鐘ㄓㄨㄥ朗ㄌㄤˇ讀ㄉㄨˊ的ㄉㄜ˙字ㄗˋ數ㄕㄨˋ，並ㄅㄧㄥˋ記ㄐㄧˋ錄ㄌㄨˋ在ㄗㄞˋ表ㄅㄧㄠˇ格ㄍㄜˊ裡ㄌㄧˇ。

第一次讀	第二次讀	第三次讀	第四次讀	第五次讀
字	字	字	字	字

 如ㄖㄨˊ果ㄍㄨㄛˇ你ㄋㄧˇ1分ㄈㄣ鐘ㄓㄨㄥ唸ㄋㄧㄢˋ220字ㄗˋ以ㄧˇ上ㄕㄤˋ，你ㄋㄧˇ超ㄔㄠ級ㄐㄧˊ厲ㄌㄧˋ害ㄏㄞˋ！

 如ㄖㄨˊ果ㄍㄨㄛˇ你ㄋㄧˇ1分ㄈㄣ鐘ㄓㄨㄥ唸ㄋㄧㄢˋ190字ㄗˋ以ㄧˇ內ㄋㄟˋ，可ㄎㄜˇ以ㄧˇ多ㄉㄨㄛ練ㄌㄧㄢˋ習ㄒㄧˊ幾ㄐㄧˇ次ㄘˋ。

請ㄑㄧㄥˇ看ㄎㄢˋ「顆」的ㄉㄜ˙示ㄕˋ範ㄈㄢˋ並ㄅㄧㄥˋ練ㄌㄧㄢˋ習ㄒㄧˊ。

生字		練習	練習	部件組合	造詞（遮住生字寫）
顆	ㄎㄜ			果、頁	一顆、顆粒
預	ㄩˋ				☐ㄩˋ習、☐ㄩˋ備
須	ㄒㄩ				必☐ㄒㄩ、莫☐ㄒㄩ有
架	ㄐㄧㄚˋ				綁☐ㄐㄧㄚˋ、衣☐ㄐㄧㄚˋ
模	ㄇㄛˊ				☐ㄇㄛˊ樣、☐ㄇㄛˊ仿
析	ㄒㄧ				分☐ㄒㄧ、剖☐ㄒㄧ
則	ㄗㄜˊ				規☐ㄗㄜˊ、法☐ㄗㄜˊ
判	ㄆㄢˋ				☐ㄆㄢˋ斷、裁☐ㄆㄢˋ
刻	ㄎㄜ				立☐ㄎㄜ、☐ㄎㄜ意

1. 找ㄓㄠˇ個ㄍㄜˋ同ㄊㄨㄥˊ學ㄒㄩㄝˊ跟ㄍㄣ你ㄋㄧˇ一ㄧˋ起ㄑㄧˇ玩ㄨㄢˊ遊ㄧㄡˊ戲ㄒㄧˋ吧ㄅㄚ˙！

2. 你ㄋㄧˇ們ㄇㄣ˙要ㄧㄠˋ猜ㄘㄞ拳ㄑㄩㄢˊ輪ㄌㄨㄣˊ流ㄌㄧㄡˊ寫ㄒㄧㄝˇ字ㄗˋ，猜ㄘㄞ贏ㄧㄥˊ的ㄉㄜ˙寫ㄒㄧㄝˇ。

3. 請ㄑㄧㄥˇ你ㄋㄧˇ們ㄇㄣ˙一ㄧˊ個ㄍㄜˋ寫ㄒㄧㄝˇ「木ㄇㄨˋ」部ㄅㄨˋ件ㄐㄧㄢˋ的ㄉㄜ˙國ㄍㄨㄛˊ字ㄗˋ，另ㄌㄧㄥˋ一ㄧˊ個ㄍㄜˋ寫ㄒㄧㄝˇ「刂」部ㄅㄨˋ件ㄐㄧㄢˋ的ㄉㄜ˙國ㄍㄨㄛˊ字ㄗˋ。

4. 最ㄗㄨㄟˋ先ㄒㄧㄢ連ㄌㄧㄢˊ成ㄔㄥˊ一ㄧˋ條ㄊㄧㄠˊ線ㄒㄧㄢˋ的ㄉㄜ˙人ㄖㄣˊ獲ㄏㄨㄛˋ勝ㄕㄥˋ。

✏️ 請把適合的語詞填在句子裡。

1. 我的耶誕襪裡有禮物，＿＿＿＿＿＿＿＿是耶誕老公公昨晚偷偷送給我的？ 〔判斷／難道〕

2. 天氣越來越冷了，為了＿＿＿＿＿＿＿＿感冒，我都穿得很暖才出門。 〔分析／預防〕

3. 門外有嬰兒的哭聲，爸爸開門一看，＿＿＿＿＿＿＿＿是野貓在發情的聲音。 〔居然／難道〕

4. 門外的地面都是溼的，我合理的＿＿＿＿＿＿＿＿，剛才應該下過雨。 〔預防／判斷〕

5. 經過專家的研究＿＿＿＿＿＿＿＿，恐龍在兩億一四千五百萬年前就出現在地球上了。 〔分析／居然〕

✏️ 挑戰看看：請把最適合的語詞填在短文裡。

在颱風來臨前，為了＿＿＿＿＿災害發生，居民們都
〔判斷／預防／分析〕
做好防颱準備。沒想到颱風過後＿＿＿＿＿＿發生
〔然而／雖然／居然〕
土石流。＿＿＿＿＿＿是防颱準備做得不夠好？
〔難道／難過／困難〕
經過專家學者仔細＿＿＿＿＿研究後，他們＿＿＿＿
〔分析／分享／享受〕〔不斷／判斷／切斷〕
是山坡種植太多檳榔樹，導致山坡的土石容易
被大水沖走，而形成土石流。

找一找：請圈出格子內的語詞，並再讀一次語詞後，將綠框內的語詞刪除。

飛機、預防、故障、靈感、機械、判斷、分析、實驗、失事、老鷹、血肉模糊、困擾、難道、壓碎、居然

分	析	難	老	衣	居	分	障	失	分
機	預	失	故	判	難	道	尖	肉	事
肉	防	血	即	障	析	巡	機	糊	障
糊	峰	飛	心	癒	防	陸	械	優	峰
事	居	然	壓	預	老	鷹	故	血	居
困	械	判	碎	然	危	飛 機	肉	失
五	擾	故	新	到	優	老	析	模	然
斷	道	鷹	又	實	事	判	預	糊	析
尖	靈	感	大	驗	預	鷹	斷	飛	械

語ㄩˇ詞ㄘˊ複ㄈㄨˋ習ㄒㄧˊ

✏ 連ㄌㄧㄢˊ連ㄌㄧㄢˊ看ㄎㄢˋ：先ㄒㄧㄢ讀ㄉㄨˊ注ㄓㄨˋ音ㄧㄣ連ㄌㄧㄢˊ連ㄌㄧㄢˊ看ㄎㄢˋ，再ㄗㄞˋ寫ㄒㄧㄝˇ一ㄧ次ㄘˋ語ㄩˇ詞ㄘˊ。

ㄐㄧ ㄧˋ		——	機翼	機翼
ㄒㄩㄣˊ ㄌㄨˋ			老鷹	
ㄈㄟ ㄐㄧ			禿鷹	
ㄍㄜ ㄗˇ			馴鹿	
ㄧㄢˋ ㄧㄚ			雁鴨	
ㄌㄠˇ ㄧㄥ			飛機	
ㄊㄨ ㄧㄥ			鴿子	

請根據文章內容選出最好的答案，要讀完每一個選項才能作答喔。

1. (　　)「每年大約會有一百多架飛機失事。」請問句中的「失事」是什麼意思？
　　①失去的故事　　　　②失蹤的事物
　　③發生意外　　　　　④事情失敗了

2. (　　)為什麼科學家要研究飛機失事的原因？
　　①因為這是科學家的工作
　　②因為飛機失事，造成很多死傷
　　③因為鳥擊事件很多
　　④因為飛機撞到馴鹿

3. (　　)根據文章，下列何者「不是」飛機失事的原因？
　　①鳥擊　　　　　　②飛機開太快
　　③機械故障　　　　④暴風雨

4. (　　)根據文章，下列何者「不是」常見的鳥擊種類？
　　①老鷹　　②鴿子　　③雁鴨　　④麻雀

5. (　　)根據文章，為什麼會有馴鹿的血在飛機上？
　　①飛機和耶誕老人的馴鹿車相撞
　　②飛機裡載了受傷的馴鹿
　　③禿鷹吃了馴鹿肉，與飛機相撞
　　④馴鹿長翅膀，飛到天空與飛機相撞

6. 飛機上怎麼會有魚的血，猜猜看是怎麼一回事？

　　因為＿＿＿＿＿＿＿＿＿＿＿＿＿＿＿＿＿＿＿＿＿＿＿

寫作訓練——認識量詞

小朋友，計算不同物品時，會使用不同的單位，我們一起來認識這些「量詞」吧！

單位量詞的說明	量詞	舉例
1. 計算條狀物品	一條	一條毛巾
2. 計算小動物	一群	一群蝴蝶
3. 計算車子	一隻	一隻小雞
4. 計算人或動物的團體	一顆	一顆糖果
5. 計算粒狀或圓形的東西	一輛	一輛車子
6. 計算薄薄的東西	一架	一架飛機
7. 計算飛機或機器	一片	一片土司

請你填上正確的量詞。（顆、隻、輛、片、架、群）

1. 我在草地上撿了十□葉子。

2. 遠望天空，忽然有一□雁子飛過。

3. 我走路去上學時，遇到一□很凶的野狗。

4. 新聞報導說，有一□飛機失事，墜毀在臺北市南港區的基隆河。

5. 新聞報導說，有一 ☐ 貨車卡在涵洞裡，動彈不得，需要警察到場協助。

6. 小花很小氣，自己有很多糖果，卻連一 ☐ 糖都不分給我吃。

 故事分享

把這個故事跟其他人分享，並請他們簽名。

聽完故事，你覺得怎麼樣？	請簽名
☑很好聽 ☐還不錯 ☐聽不懂 ☐其他	蘇小華
☐很好聽 ☐還不錯 ☐聽不懂 ☐其他	
☐很好聽 ☐還不錯 ☐聽不懂 ☐其他	

NOTE

13 皮膚也有嗅覺，可以聞味道

文章結構表 ✏

請依照文章，完成下列的文章結構表。

起因	潛水夫潛入水底時，遇到什麼事？ ☐ 1. 看到美麗的珊瑚礁。 ☐ 2. 聞到一股臭味。
問題	潛水夫潛入水底時，產生什麼疑問？ ☐ 1. 味道不可能從鼻子聞到。 ☐ 2. 味道不可能從皮膚聞到。
解決	這個問題怎麼解決？ ✏ 科學家分析了鼻子和皮膚的細胞，發現皮膚和鼻子一樣，都擁有 _____。
結果	結果怎麼樣？ ☐ 1. 皮膚也有觸覺。 ☐ 2. 皮膚也有嗅覺。

皮膚也有嗅覺，可以聞味道

　　當營養午餐煮好時，你是怎麼知　14
道的呢？當然是用聞的！如果鼻子沒鼻　31
塞，你就會聞到香噴噴的飯菜香。但如　48
果鼻塞了呢？是不是就聞不到了呢？那　65
可不一定。　70

　　有一群潛水夫想要潛到很深的水　84
底，拍攝美麗的珊瑚礁。他們必須穿潛　101
水裝潛入九公尺深的地方，當他們接近　118
珊瑚礁時，率先嗅到一股臭味，這個臭　135
味是細菌造成的，味道就像壞掉的雞　151
蛋，但是，潛水夫都穿著潛水裝，他們　168
戴著專業的面鏡，口含呼吸管，鼻子也　185
都封起來，口鼻全都和外界隔離了。「口　203
鼻和外界 隔離 ，那怎麼會聞到水中的　219
味道呢？」大家懷疑的問。「我們在潛水　237
的過程中，一直聞到一股臭味。」潛水　254
夫們 異口同聲 的說。　263

「看來，這個臭味不可能是由鼻子呼吸時聞到的。」大家大膽的假設。 278 294

科學家針對這個現象做了仔細的分析。 311

他們分析鼻子和皮膚的細胞，原來，皮膚和鼻子一樣，都擁有嗅覺細胞，臭味是由皮膚的毛細孔進入身體的，身體內的血管再將臭味傳送到大腦，鼻子也因此聞到了臭味。真是太神奇了！想不到，我們的皮膚也有嗅覺呀！ 328 345 361 378 395 408

 流暢性訓練 ── 記錄表

請用計時器測量1分鐘朗讀的字數，並記錄在表格裡。

第一次讀	第二次讀	第三次讀	第四次讀	第五次讀
字	字	字	字	字

如果你1分鐘唸220字以上，你超級厲害！ 👍

如果你1分鐘唸190字以內，可以多練習幾次。

生字學習

請看「析」的示範並練習。

生字		練習	練習	部件組合	造詞（遮住生字寫）
析 ㄒㄧ				木、斤	分析、剖析
嗅 ㄒㄧㄡ					☐ ㄒㄧㄡ 覺
臭 ㄔㄡ					發 ☐ ㄔㄡ 、☐ ㄔㄡ 味
攝 ㄕㄜ					☐ ㄕㄜ 取、拍 ☐ ㄕㄜ
擁 ㄩㄥ					☐ ㄩㄥ 有、☐ ㄩㄥ 抱
股 ㄍㄨ					屁 ☐ ㄍㄨ 、☐ ㄍㄨ 票
設 ㄕㄜ					☐ ㄕㄜ 計、☐ ㄕㄜ 備
懷 ㄏㄨㄞ					☐ ㄏㄨㄞ 疑、☐ ㄏㄨㄞ 孕
壞 ㄏㄨㄞ					☐ ㄏㄨㄞ 掉、破 ☐ ㄏㄨㄞ

生字遊戲——賓果學習單

1. 找個同學跟你一起玩賓果吧！

2. 請在右方表格寫下生字：析、嗅、臭、攝、擁、股、設、懷、壞。

3. 請你們輪流唸生字並圈起來。
   ★ 進階玩法：可以將生字造詞。

4. 最先連成三條線的人獲勝！

✎ 請把適合的語詞填在句子裡。

1. 我們可以大膽＿＿＿＿＿＿＿，但要小心求證。

想不到／假設

2. 狗的＿＿＿＿＿＿＿很敏銳，即使是在行李箱裡的水果，牠也聞得出來。

視覺／嗅覺

3. 小明今天生日，當他走進教室時，全班＿＿＿＿＿＿＿的對他說：「生日快樂！」

異口同聲／只好

4. 當我們準備好要出門打球時，＿＿＿＿＿＿＿天空卻突然下起了大雨。

假設／想不到

5. 在傷口上蓋上的紗布，是為了＿＿＿＿＿＿＿病菌，以免傷口再次感染。

離開／隔離

✎ 挑戰看看：請把最適合的語詞填在短文裡。

加護病房裡住著被＿＿＿＿＿＿＿的病人。某天病人的
離開／隔離／離別
朋友小香到加護病房找不到病人，她大膽的
＿＿＿＿＿＿＿自己的朋友已經離世了。當她放聲大哭的
假設／假如／如果
走到醫院的櫃臺，詢問朋友是何時離世時，
醫護人員竟然＿＿＿＿＿＿＿的說：「小姐……！這位
五光十色／熱淚盈眶／異口同聲
病人早就轉到普通病房了！」小香覺得很尷尬，只好快步離開。

找一找：請圈出格子內的語詞，並再讀一次語詞後，將綠框內的語詞刪除。

皮膚、好奇心、判斷、嗅覺細胞、隔離、假設、
異口同聲、必須、故障、預防、拍攝、大膽、機械、
相當於、想不到

攝	意	異	想	馳	假	設	馳	不	到
想	隔	奔	相	嗅	想	拍	隔	拍	離
具	馳	離	故	當	嗅	意	大	攝	膽
志	機	械	皮	障	於	攝	判	斷	離
相	奔	於	開	膚	胞	離	志	嘗	當
好	嘗	異	口	同	聲	嗅	力	想	隔
離	奇	膽	拍	隔	大	覺	攝	不	必
假	預	心	嗅	嘗	覺	細	試	到	須
想	防	奔	意	大	膽	胞	奔	嗅	覺

128

✏️ 請根據文章內容，選出最適合的答案。

1. （　）潛水夫為什麼要潛到很深的水底？

①要觀察水中奇特的魚

②要清理水中的垃圾

③要拍攝美麗的珊瑚礁

④要找出臭味是怎麼來的

2. （　）深水中為什麼會有臭味？

①因為水中有很多垃圾

②因為水中有很多細菌

③因為水中有壞掉的雞蛋

④因為有人在潛水時放屁

3. （　）為什麼大家大膽的假設，臭味不是鼻子呼吸時聞到的？

①因為他們的口鼻都和外界隔離了

②因為他們的鼻子鼻塞了

③因為他們在水中是憋氣的

④因為他們的鼻子無法呼吸

4. （　）潛水夫的口鼻都和外界隔離了，為什麼還聞得到水中的臭味？

①因為臭味從頭髮跑進去了

②因為臭味從皮膚進入身體了

③因為臭味從呼吸管跑進去了

④因為面具有縫隙，讓臭味跑進去了

5. 在不透過鼻子呼吸時，我們是怎麼聞到味道的，請寫上正確的順序 1、2、3。

（　）身體內的血管再將味道傳送到大腦

（　）鼻子聞到味道了

（　）味道由皮膚的毛細孔進入身體

句句有型——連接詞「如果…，就…」

✏️ 小朋友，我們今天要學「如果…，就…」的連接詞，當你讀懂連接詞，更能看懂句子喔！

> 如果鼻子沒鼻塞，你就會聞到香噴噴的飯菜香。
>
> ↑　　　　　　　　　↑
>
> 這句是前提原因　　　這句是因為原因造成的結果

1. 請將 如果…，就… 填進句子裡，再自己唸一次。

（　　　　　）認真讀書，（　　　　　）能讓功課進步。

2. 請勾選最適合的答案。

✏️ 如果我有翅膀，我就　☐ 可以飛上天。

　　　　　　　　　　　☐ 可以吃飯。

✏️ 如果我沒有放棄，我就　☐ 可以去睡覺。

　　　　　　　　　　　　☐ 可以跑贏哥哥。

✏️ 如果我幫助同學，同學就 ☐ 可以完成作業。

☐ 會討厭我。

3.請連連看。

如果每天運動　　　•　　　　　•　小朋友就容易近視

如果整天玩手機　　•　　　　　•　就會更健康

如果飯後不刷牙　　•　　　　　•　就容易蛀牙

4.將以下兩個句子用「如果……，就……」連結起來。

①今天出太陽

②可以晒棉被

✏️ _____

 故事分享

把這個故事講給其他人聽，並請他們簽名。

聽完故事，你覺得怎麼樣？	請簽名
☑很好聽 ☐還不錯 ☐聽不懂 ☐其他	蘇小華
☐很好聽 ☐還不錯 ☐聽不懂 ☐其他	
☐很好聽 ☐還不錯 ☐聽不懂 ☐其他	

NOTE

14 真的有火星人嗎？

文章結構表 ✎

請依照文章，完成下列的文章結構表。

問題❶	科學家想知道火星上有沒有火星人。
解決❶	這個問題怎麼解決？ 1976年，美國的太空船維京一號日以繼夜的拍照，並且不斷的把相片傳回地球。
結果❶	結果是什麼？ ☐ 1.拍到一張外星人的相片。 ☐ 2.拍到一張人臉的相片。
迴響	結果引發什麼後續反應？ ✎ 有人認為火星上一定有 _____
問題❷	科學家想知道那張相片是什麼東西。
解決❷	這個問題怎麼解決？ 2001年，另一艘太空船飛到火星，這次，它用 _____ 、 _____ 的照相機，把這張人的臉仔仔細細的再照了一次相。
結果❷	結果是什麼？ 這是光線和影子造成錯覺，它只是一座 _____ 而已。
結論	結論是什麼？ ☐ 1.火星上確實沒有火星人。 ☐ 2.火星上有沒有火星人目前仍是個謎。

真的有火星人嗎？

火星，是夏天的夜空中引人注目 　14
的一顆星，總閃爍著暗紅色的光芒。 　30
在古老的傳說中，火星是不吉祥的， 　46
會帶來戰爭、疾病和死亡。近年，更有 　63
人認為火星上有外星人，他們擁有高科 　80
技，還會駕著飛碟來攻打地球。 　94

1976 年，美國的太空船維京一號， 　111
在太空中航行了三百三十五天，終於抵 　128
達火星附近。船上的照相機開始日以 　144
繼夜的拍照，並且不斷的把相片傳回 　160
地球。科學家在成千上萬的相片裡頭， 　177
發現一張不可思議的相片。「你們看， 　194
這裡有一張人的臉！」一位科學家拿著 　211
相片大喊。那真的是一張臉，很大的臉。 　229
有三公里長、一公里寬。這張相片立刻 　246
傳遍了全世界，報紙的頭條新聞用大字 　263
寫著：「真的有火星人嗎？」還有雜誌、 　281
收音機、電視新聞裡，全都是這張臉的 　298
相片。大街小巷都在討論，這個人臉是 　315

怎麼來的。320

　　「火星上頭一定有火星人！」有人335認為這張人臉是火星上高等智慧生物351建造的。但也有人認為：「火星沒有空368氣，沒有水，不可能有火星人啦！」並推386測那只是一座土丘，是天然的地理景402觀，碰巧看起來像人臉而已。415

　　2001年，又有一艘太空船飛到火星。433這次，它用更新、更清楚的照相機，把450這張人臉仔仔細細的再照了一次相。結467果，科學家們說：「這是光線和影子造484成錯覺，讓人以為它是一張人臉，但500它真的只是一座小土山而已。」514

 流暢性訓練 —— 記錄表

請用計時器測量1分鐘朗讀的字數，並記錄在表格裡。

第一次讀	第二次讀	第三次讀	第四次讀	第五次讀
字	字	字	字	字

如果你1分鐘唸220字以上，你超級厲害！👍

如果你1分鐘唸190字以內，可以多練習幾次。

請看「課」的示範並練習。

生字		練習	練習	部件組合	造詞（遮住生字寫）
課 ㄎㄜ				言、果	課本、第一課
認 ㄖㄣ					☐ㄖㄣ 識、承 ☐ㄖㄣ
誌 ㄓ					標 ☐ㄓ 、日 ☐ㄓ
船 ㄔㄨㄢ					划 ☐ㄔㄨㄢ 、搭 ☐ㄔㄨㄢ
航 ㄏㄤ					☐ㄏㄤ 空、☐ㄏㄤ 行
繼 ㄐㄧ					☐ㄐㄧ 續、☐ㄐㄧ 承
斷 ㄉㄨㄢ					不 ☐ㄉㄨㄢ 、切 ☐ㄉㄨㄢ
總 ㄗㄨㄥ					☐ㄗㄨㄥ 是、☐ㄗㄨㄥ 共
維 ㄨㄟ					☐ㄨㄟ 護、☐ㄨㄟ 持

生字遊戲 —— 賓果學習單

1. 找一個同學跟你一起玩賓果吧！
2. 請在右方表格寫下生字：課、認、誌、船、航、繼、斷、總、維。
3. 請你們輪流唸生字並圈起來。
4. 最先連成三條線的人獲勝！

語詞學習

✎ 請把適合的語詞填在句子裡。

1. 今晚的天空，有許多美麗的星星＿＿＿＿＿＿著。　　夢幻／閃爍

2. 小美穿上高跟鞋後，讓人產生她有一百八十公分的＿＿＿＿＿＿。　　錯覺／傳說

3. 她的穿著很奇特，常常＿＿＿＿＿＿。　　引人注目／目瞪口呆

4. 中國有一個嫦娥奔月的＿＿＿＿＿＿。　　閃爍／傳說

5. 新年快到了，我們全家正在＿＿＿＿＿要去哪裡拜年。　　討論／疏散

✎ 挑戰看看：請把最適合的語詞填在短文裡。

2016 年的跨年煙火非常＿＿＿＿＿＿，聽說政府找
　　　目不轉睛／引人注目／目瞪口呆
來＿＿＿＿中的燈光大師——莊老師，設計了「點
傳說／聽說／好說
亮臺灣」的燈光煙火秀。工作人員＿＿＿＿＿＿的
半夜／日以繼夜／不見天日
工作了一個月，煙火秀終於上場了。

無數的燈光＿＿＿＿著，讓觀賞的民眾產生視覺
閃爍／開燈／閃躲
上的＿＿＿＿，而讚嘆這美麗的煙火秀。
感覺／夢幻／錯覺

找一找：請圈出格子內的語詞，並再讀一次語詞後，將綠框內的語詞刪除。

火星、必須、不可思議、引人注目、光芒、閃爍、
更新、成千上萬、隔離、傳說、大膽、討論、錯覺、
拍攝、日以繼夜。

拍	困	更	新	激	不	錯	閃	千	火
火	攝	思	星	錯	注	可	更	說	大
閃	覺	不	成	覺	議	激	思	上	膽
業	爍	可	成	火	星	傳	新	議	精
傳	說	以	千	隔	光	日	以	繼	夜
夜	錯	法	上	趕	離	說	覺	法	常
目	必	芒	萬	引	人	注	目	葉	千
人	須	可	促	感	日	爍	萬	光	覺
境	引	討	論	人	不	注	成	芒	成

請根據文章內容，選出最適合的答案。

1. (　　) 在古老傳說中，火星是不吉祥的象徵，根據文章內容，下列何者「不是」火星會帶來的災害？

①戰爭　　②疾病　　③死亡　　④天災

2. (　　) 從太空船拍到的照片中，科學家發現了什麼？

①一張外星人的照片

②一張飛碟的照片

③一張人臉的照片

④一張高等智慧生物的照片

3. (　　) 文章裡有人說：「不可能有火星人」，他的理由是什麼？

①因為沒有人看過火星人

②因為火星人只是一個傳說

③因為火星沒有空氣，沒有水

④因為火星只是一顆暗紅色的星球

4. (　　) 經過科學家的證實，火星上的人臉是如何造成的？

①是光線和影子造成的錯覺

②是火星人建造而成的

③是高等生物建造而成的

④是人類去火星建造的

5. (　　) 這個故事最有趣的理由是什麼？

①它說明火星是不吉祥的

②它告訴讀者一件令人驚奇的事

③它有美國的太空船

④它講到最新式的照相機

 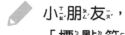 寫作訓練——我會用標點符號

✐ 小朋友，當我們在寫句子或文章時，一定會用到「標點符號」，它會讓文章更好被理解喔！

➤ 認識標點符號：

1. 句號（。）：表示句子已完成。例句：我很開心。

2. 逗號（，）：表示語氣停頓，或把句子分開。
　　　　　　　例句：今天放假，我很開心。

3. 問號（？）：表示疑問。例句：你吃飯了嗎？

✐ 寫寫看：請在（　　）中填入最適合的標點符號。

① 媽媽問：「你吃過飯了嗎（　　）」兒子回答：
　「我吃過了（　　）」。

② 外面的地板都溼了，剛才是不是有下雨
　（　　）

③ 火星上（　　）真的有火星人嗎（　　）

④ 多喝水沒事（　　）沒事多喝水（　　）

⑤ 我累了（　　）我可不可以先去睡覺（　　）

故事分享

把這個故事跟其他人分享，並請他們簽名。

聽完故事，你覺得怎麼樣？	請簽名
☑很好聽　□還不錯　□聽不懂　□其他	蘇小華
□很好聽　□還不錯　□聽不懂　□其他	
□很好聽　□還不錯　□聽不懂　□其他	

NOTE

1、丹尼上山

◎文章結構
主角：2∨
問題：英文
經過：3、1、2
結果：1、3∨

◎生字學習
電：電，電，雨、电，電，電
雪：雪，雪，雨、彐，雪，雪
聞：聞，聞，門、耳，聞，聞
開：開，開，門、开，開，開
橋：橋，橋，木、喬，橋，橋
樣：樣，樣，木、羊、永，樣，樣
踏：踏，踏，足、水、日，踏，踏
路：路，路，足、各，路，路

◎語詞學習
1.已經　2.經過　3.獲得
4.因為　5.新聞　6.海拔

1.沒有去上學
2.有球員還沒到場；下起了大雨

◎語詞複習

新	成	又	身	預	為	回	上	海
獲	還	險	汗	己	新	山	程	癒
聞	心	津	得	閒	險	另	安	天
回	拔	開	心	獲	經	又	杰	得
經	身	癒	今	大	滿	精	新	聞
程	過	危	另	得	身	開	過	汗
汗	開	海	因	為	大	獲	開	大
已	險	大	回	安	汗	得	已	海
經	得	因	新	海	己	險	身	拔

◎閱讀理解
1.(3)　2.(2)　3.(1)　4.(2)　5.(3)

◎寫作訓練
1. 坐公車
2. 跑步
3. 功課再多
4. 讀書

2、杰生和老虎

◎文章結構
主角：1∨
經過：1、3、4、2
結果：1∨

◎生字學習
清：清，清，氵、青，清，清
晴：晴，晴，目、青，晴
撥：撥，撥，扌、發，撥，撥
換：換，換，扌、奐，換，換
隻：隻，隻，隹、又，隻，隻
取：取，取，耳、又，取，取
叢：叢，叢，业、羊、取，叢，叢

◎語詞學習
1.變成　2.經常　3.只好　4.原來
5.再度

1.經常　2.原來　3.變成　4.只好
5.再度

◎語詞複習

虎	海	汗	變	程	林	海	度	變	成
來	拔	大	只	好	熱	汗	經	獲	好
常	帶	身	新	回	原	叢	常	拔	清
清	元	新	側	聞	度	變	再	得	叢
程	澈	經	清	老	虎	原	熱	帶	只
經	獲	得	來	常	再	滿	拔	原	林
回	來	熱	再	成	回	身	帶	只	來
程	原	叢	聞	度	變	大	老	回	常
老	身	林	滿	澈	熱	汗	原	聞	大

◎閱讀理解
1.(2) 2.(3) 3.(1) 4.(2) 5.(2)
6.(2)

◎寫作訓練
1.貓咪
2.小花
3.小花、魚
4.在陽臺晒太陽
5.回去看小花

3、貨車卡涵洞

◎文章結構
主角：2∨
時間：2∨
地點：1∨
問題：卡
解決：1、3、2、5、4
結果：2∨

◎生字學習
限：限，限，阝，艮，限，限
退：退，退，辶，艮，退，退
汽：汽，汽，氵，气，汽，汽

氣：氣，氣，气、米，氣，氣
該：該，該，言、亥，該，該
刻：刻，刻，亥、刂，刻，刻
始：始，始，女、台，始，始
胎：胎，胎，月、台，胎，胎

◎語詞學習
1.立刻 2.疏散 3.焦慮 4.終於
5.靈機一動

1.焦慮 2.靈機一動 3.疏散 4.立刻
5.終於

◎語詞複習

立	貨	清	叢	經	靈	變	成	焦	交
刻	叢	無	洞	林	機	利	叢	清	常
林	散	精	清	峰	疏	立	動	澈	一
成	終	打	再	又	散	再	時	熱	帶
熱	於	采	焦	慮	打	刻	度	精	靈
車	度	變	刻	彩	無	涵	洞	帶	散
原	澈	交	常	交	通	尖	峰	時	間
獲	來	又	又	采	原	疏	經	獲	焦
一	靈	機	一	動	獲	林	慮	常	機

◎閱讀理解
1.(2) 2.(3) 3.(3) 4.(3) 5.(3)
6.(1) ②、④、⑤
  (2) ②、④、⑤
  (3) ①、③
  (4) ①、③

◎**句句有型**
圈出短文連接詞：
先、再、後來、首先、然後、最後
連接詞填進短文：
首先(2) 然後(3) 最後(1)

4、危機就是轉機

◎**文章結構**
背景－主角：2∨
背景－時間：1∨
背景－地點：1∨
起因：泡澡
問題：1∨
解決1：1∨
解決2：掙扎
結果2：1∨
結論：轉機

◎**生字學習**
頓：頓，頓，屯，頁，頓，頓
頭：頭，頭，豆，頁，頭，頭
敢：敢，敢，耳，夂，敢，敢
敵：敵，敵，商，夂，敵，敵
措：措，措，才，昔，措，措
錯：錯，錯，金，昔，錯，錯
重：重，重，千，里，重，重
衝：衝，衝，行，重，衝，衝

◎**語詞學習**
1.招惹　2.掙扎　3.根本　4.筋疲力竭
5.僅次於

1.僅次於　2.筋疲力竭　3.根本
4.招惹　5.掙扎

◎**語詞複習**

機	招	晒	僅	狂	清	澈	掙	根	招
死	會	焦	次	危	僅	筋	疲	力	竭
無	筋	慮	刺	招	聲	伏	惹	機	札
根	精	掙	犀	掙	惹	僅	晒	再	邊
奔	伏	打	危	牛	緣	紛	危	度	會
晒	死	四	央	筋	一	破	機	招	泣
激	根	產	掙	扎	疲	刺	四	狂	僅
惹	邊	緣	機	根	掙	泣	札	伏	掙
滿	身	大	汗	惹	本	僅	次	紛	於

◎**閱讀理解**
1.(3)　2.(2)　3.(2)
4.

危機是 ╳ 發現左邊比較淺而爬出水塘
轉機是 　　 獅子要要吃他

5.(2)(4)(1)(3)

5、所羅門王的智慧

◎**文章結構**
主角：2∨
時間：2∨
地點：1∨
問題：所羅門王
解決：慌張、反對
結果：所羅門、處罰
迴響：2∨

◎**生字學習**
鬧：鬧，鬧，鬥，市，鬧，鬧
鬥：鬥，鬥，鬥，鬥，鬥
鄰：鄰，鄰，粦，阝，鄰，鄰
憐：憐，憐，忄，粦，憐，憐
謊：謊，謊，言，荒，謊，謊
慌：慌，慌，忄，荒，慌，慌

◎**語詞學習**
1.慌張　2.爭奪　3.難不倒　4.判斷
5.鬧哄哄　6.真相大白　7.鬥嘴

1.爭奪　2.鬥嘴　3.鬧哄哄
4.慌張　5.仔細一看　6.真相大白

◎語詞複習

筋	軟	智	仔	看	細	已	白	掙	扎
慧	疲	一	斷	細	倒	又	爭	細	看
判	奪	力	昏	鬧	一	慧	爭	仔	疏
斷	慌	張	竭	智	慧	看	張	智	散
危	機	四	伏	一	即	安	鬧	相	倒
哄	爭	真	爭	滿	邊	軟	慌	哄	鬥
終	於	細	相	冷	緣	項	細	白	哄
鬥	看	招	慧	大	心	難	不	倒	嘴
難	嘴	惹	不	汗	白	真	又	仰	教

◎閱讀理解
1.(2)　2.(1)　3.(4)　4.(3)　5.(2)
6.(3)

◎句句有型
1.雖然，但／雖然，但
2.☑我跑得很快
　☑我很努力
　☑我年紀小
3.

一件事	有轉折的句子
	・但很香。
雖然甜點很好吃， ──	但很貴。
	・但很可口。

4.雖然有些野狗很凶，但我一點也不怕。

6、好心有好報

◎文章結構
主角：1∨
問題：2∨
解決：1∨
結果：1、2∨

◎生字學習
房：房，房，戶，方，房，房
訪：訪，訪，言，方，訪，訪
持：持，持，才，士，寸，持，持
時：時，時，日，士，寸，時，時
領：領，領，令，頁，領，領
顧：顧，顧，雇，頁，顧，顧
題：題，題，是，頁，題，題
願：願，願，原、頁，願，願

◎語詞學習
1.困境　2.促成　3.感激　4.熱淚盈眶
5.即將

1.即將　2.困境　3.感激　4.熱淚盈眶
5.促成

◎語詞複習

領	養	觀	慌	溫	熱	關	充	心	促
爭	滿	喜	促	張	十	驚	喜	法	成
成	奪	趕	真	領	光	心	將	激	淚
法	色	設	相	精	趕	溫	設	夢	盈
夢	即	困	大	喜	緊	即	五	法	焦
境	將	幻	白	領	五	判	光	心	將
因	五	激	法	鬥	嘴	滿	斷	困	淚
熱	淚	盈	眶	養	淚	養	即	境	五
眶	心	感	緊	困	盈	感	激	馨	熱

◎閱讀理解
1.(3)　2.(4)　3.(1)　4.(2)　5.(2)
6.(2)　7.(3)

◎句句有型
1.不僅、也，不僅、也
2.姐姐不僅會唱歌，也很會跳舞。
3.蘋果，打羽球，會說

7、忠犬小八

◎文章結構
背景：上野教授／到車站迎接主人
起因：2∨
問題：主人
解決：十年
結果：2∨

◎生字學習
逢：逢，逢，辶、夂、丰，逢，逢
達：達，達，辶、土、羊，達，達
邊：邊，邊，辶、自、穴、方，邊，邊
逐：逐，逐，辶、豕，逐，逐
堂：堂，堂，龸、土，堂，堂
當：當，當，龸、田，當，當
授：授，授，扌、受，授，授
握：握，握，扌、屋，握，握

◎語詞學習
1.嚴肅　2.走路蹣跚　3.追逐
4.神采奕奕　5.重逢　6.迎接
7.掉頭回家

1.神采奕奕
2.追逐
3.嚴肅
4.走路蹣跚
5.接送

◎語詞複習

時	追	髒	終	於	家	作	難	清	牙
準	逐	重	走	路	蹣	跚	筋	不	逐
了	壯	甜	達	迎	強	壯	疲	肅	倒
神	熱	淚	盈	眶	回	發	力	發	追
顧	采	小	跚	覓	髒	氣	竭	作	達
掉	相	奕	困	一	今	大	街	小	巷
頭	大	準	奕	境	今	足	甘	嚴	重
回	接	嚴	肅	迎	頭	十	迎	準	密
家	今	接	危	機	四	伏	接	準	嘴

◎閱讀理解
1.(4)　2.(3)　3.(3)　4.(3)　5.(2)
6.(3)

◎詞彙大拼盤
1.即將、緩緩、立刻
2.筋疲力竭、危機四伏、熱淚盈眶、
　嚴肅、神采奕奕
3.招惹、掙扎、設法

8、恩恩相報

◎文章結構
起因：1∨
問題：2∨
解決：捐錢
結果：2∨

◎生字學習
義：義，義，羊、我，義，義
議：議，議，言、義，議，議
篇：篇，篇，竹、扁，篇，篇
編：編，編，糹、扁，編，編
貧：貧，貧，分、貝，貧，貧
紛：紛，紛，糹、分，紛，紛
滾：滾，滾，氵、袞，滾，滾
湧：湧，湧，氵、勇，湧，湧

◎語詞學習
1.然而　2.紛紛　3.正好　4.刺激
5.泣不成聲

1.刺激　2.然而　3.正好　4.紛紛
5.泣不成聲

◎語詞複習

```
泣 聲 刺 破 追 摶 然 紛 心 傾
感 不 隔 產 紛 思 大 追 存 泣
正 傾 成 然 過 然 紛 逢 感 不
假 好 老 聲 然 而 傾 過 激 度
刺 報 感 開 狂 隔 膽 感 正 紛
離 激 重 逢 奔 成 度 思 傾 倒
紛 倒 正 泣 而 聲 過 圖 心 正
準 時 摶 圖 下 狂 難 報 傾 存
激 離 泣 難 紛 紛 關 然 摶 鬥
```

◎閱讀理解
1.(4) 2.(2) 3.(2) 4.(3) 5.(1)

◎句句有型
1.但是
2.☑我很努力。
　☑我沒有朋友。
3.
他很努力　　　　但是眼前還有更大的困難，需要克服。
他有九十公斤重　　　但是打球的時候很靈活。
他克服了許多困難　　但是他失敗了。

4.雖然外面賣的便當很好吃，但是我媽媽煮的飯菜更好吃。

9、鐵人修女

◎文章結構
主角：瑪當娜
經過：1、3、4
迴響：放棄嘗試、成功、獎賞

◎生字學習
嘗：嘗，嘗，峀、匕、日，嘗，嘗
賞：賞，賞，峀、貝，賞，賞
堂：堂，堂，峀、土，堂，堂
躺：躺，躺，身、尚，躺，躺
組：組，組，糸、且，組，組
阻：阻，阻，阝、且，阻，阻

喘：喘，喘，口、山、而，喘，喘
需：需，需，雨、而，需，需

◎語詞學習
1.必須　2.相當於　3.具備　4.嘗試
5.意志

1.必須　2.意志　3.嘗試　4.具備
5.相當於

◎語詞複習

```
史 判 奔 堂 須 氣 融 意 正 好
分 棄 傾 馳 堂 具 嘗 志 復 斷
打 入 意 倒 鼓 備 退 吁 析 奔
相 選 志 馳 史 上 元 吁 預
當 斷 力 備 吁 奔 融 史 備 上
於 氣 選 手 析 預 入 馳 判 退
喘 退 復 上 放 棄 嘗 試 堂 鼓
刺 激 馳 融 摶 嘗 意 分 預 必
打 退 堂 鼓 奔 鬥 史 鼓 入 須
```

◎閱讀理解
1.(2) 2.(1) 3.(2) 4.(4) 5.(2)
6.(4)

◎句句有型
1.為了、必須
2.☑早睡
　☑努力練習
　☑成功
3.
為了要長高　　　必須努力存錢
買變形金鋼　　　必須少玩手機
為了不要近視　　必須多吃營養的食物

4.為了當上麵包師傅，必須每天揉麵團，學做麵包。

10、你敢喝馬桶水嗎？

◎文章結構
主角：1∨
問題：2∨
解決：1、2∨
迴響：最佳、郵政大臣

◎生字學習
廁：廁，廁，广、則，廁，廁
刷：刷，刷，尸、巾、刂，刷，刷
剛：剛，剛，岡、刂，剛，剛
敬：敬，敬，苟、攵，敬，敬
政：政，政，正、攵，政，政
整：整，整，束、攵、正，整，整
惑：惑，惑，或、心，惑，惑
態：態，態，能、心，態，態

◎語詞學習
1.聘請　2.獲得賞識　3.目瞪口呆
4.敬業　5.盡善盡美

1.敬業　2.盡善盡美　3.目瞪口呆
4.賞識　5.聘請

◎語詞複習

獲	得	水	意	嘴	程	慌	創	具	不
斷	美	爭	志	度	度	心	心	備	張
好	盡	賞	識	昏	力	美	已	聘	賞
倒	不	敬	善	門	業	水	相	當	於
融	奮	容	業	乾	淨	哄	異	水	識
入	必	乾	易	易	盡	善	盡	美	程
不	須	瞪	好	容	判	闖	奔	昏	請
張	聘	難	目	瞪	口	呆	容	馳	敬
口	業	請	不	識	獲	即	請	程	業

◎閱讀理解
1.(2)　2.(3)　3.(2)　4.(4)　5.(4)
6.(1)

◎神奇化妝術

1.妹妹的臉頰紅得像　　　石頭。
2.你的手冷得像　　　　　蘋果。
3.這饅頭硬得像　　　　　獅子。
4.這隻狗長得像　　　　　冰塊。

1.一條蛇
2.棉花糖
3.耳朵

11、發明家愛迪生

◎文章結構
主角：愛迪生
經過：2134
結果：發明家

◎生字學習
擾：擾，擾，才、憂，擾，擾
摩：摩，摩，麻、手，摩，摩
擦：擦，擦，才、察，擦，擦
驗：驗，驗，馬、僉，驗，驗
憑：憑，憑，馮、心，憑，憑
闖：闖，闖，門、馬，闖，闖
訴：訴，訴，言、斥，訴，訴
試：試，試，言、式，試，試

◎語詞學習
1.張口結舌　2.困擾　3.推卸責任
4.摩擦　5.實驗　6.闖出名號
7.陸續　8.靈感　9.好奇心

1.困擾
2.摩擦
3.陸續
4.好奇
5.實驗

◎語詞複習

摩 擦 明 敬 闆 摩 水 驗 困 號
問 聘 盡 號 出 孵 口 擾 好
擾 續 請 鑿 名 口 推 結 蛋 碎
卸 舌 張 陸 號 發 問 卸 奇 闆
任 口 困 口 壓 掏 蛋 聘 責 名
折 舌 水 敬 結 舌 推 續 心 任
好 問 推 實 擦 舌 推 水 即 壓
孵 奇 業 驗 壓 偉 實 敬 業 盡
蛋 感 心 名 模 碎 請 摩 異 感

◎閱讀理解
1.(4)　2.(2)　3.(2)　4.(2)　5.(3)

◎句句有型
1.☑汪汪叫
　☑看報紙
　☑開車
　☑認真做筆記
2.

第一件事　　　　　　　　另一件事
第弟一一邊吃飯　　　　一邊看電視。
　　　　　　　　　　　一邊刷牙。
　　　　　　　　　　　一邊玩手機。

3.老闆一邊忙著結帳，一邊跟客人推銷
產品

12、飛機撞上馴鹿

◎文章結構
起因：1∨
經過-結果：馴鹿
經過-做法：分析
結果：鳥擊

◎生字學習
預：預，預，予、頁，預，預
須：須，須，彡、頁，須，須
架：架，架，力、口、木，架，架

模：模，模，木、莫，模，模
析：析，析，木、斤，析，析
則：則，則，貝、刂，則，則
判：判，判，半、刂，判，判
刻：刻，刻，亥、刂，刻，刻

◎語詞學習
1.難道　2.預防　3.居然　4.判斷
5.分析

1.預防　2.居然　3.難道　4.分析
5.判斷

◎語詞複習

分 析 難 老 衣 居 分 障 失 分
機 預 失 故 判 難 道 尖 肉 事
肉 防 血 即 障 析 巡 機 糊 障
糊 峰 飛 心 癒 防 陸 優 峰
事 居 然 壓 預 老 鷹 故 血 居
困 械 判 碎 然 危 飛 機 肉 失
五 擾 故 新 到 優 老 析 模 然
斷 道 鷹 又 實 事 判 預 糊 析
尖 盡 感 大 驗 預 鷹 斷 飛 械

◎語詞複習

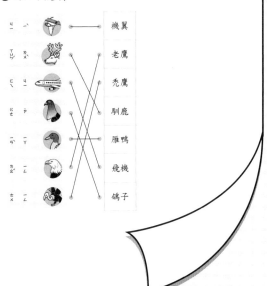

◎閱讀理解
1.(3)　2.(2)　3.(2)　4.(4)　5.(3)
6.鳥吃了魚，再與飛機相撞。

◎寫作訓練

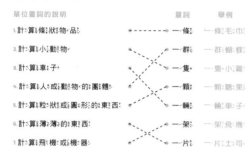

單位量詞的說明	量詞	舉例
1.計算條狀物、品	一條	一條毛巾
2.計算小動物	一群	一群蝴蝶
3.計算車子	一隻	一隻小雞
4.計算人、或動物的團體	一顆	一顆糖果
5.計算粒狀或圓形的東西	一輛	一輛車子
6.計算薄薄的東西	一架	一架飛機
7.計算飛機、或機器	一片	一片土司

1.片　2.群　3.隻　4.架　5.輛　6.顆

13、皮膚也有嗅覺，可以聞味道

◎文章結構
起因：2✓
問題：1✓
解決：嗅覺細胞
結果：2✓

◎生字學習
嗅：嗅，嗅，口、臭，嗅，嗅
臭：臭，臭，自、犬，臭，臭
攝：攝，攝，扌、聶，攝，攝
擁：擁，擁，扌、雍，擁，擁
股：股，股，月、殳，股，股
設：設，設，言、殳，設，設
壞：壞，壞，土、一、罒、水、𧘇，壞，
壞

◎語詞學習
1.假設　2.嗅覺　3.異口同聲
4.想不到　5.隔離

1.隔離　2.假設　3.異口同聲

◎語詞複習

攝	意	異	想	馳	假設	馳	不　到
想	隔	奔	相	嗅	想	拍	隔 拍 離
具	馳	離	故	當	嗅	意	大 攝
志	機械	皮障	於	攝	判斷	離
相	奔	於	開	膚	胞	離	志 當
好當	具 口 同聲	嗅	力	想	隔
離	奇	膽	拍	隔	大	攝	必須
假	預	心	嗅	嘗	覺	不　到
想	防	奔	意	大膽	胞	奔	嗅覺

◎閱讀理解
1.(3)　2.(2)　3.(1)　4.(2)
5.(2)(3)(1)

◎句句有型
1.如果、就
2.☑ 可以飛上天
　　☑ 可以跑贏哥哥
　　☑ 可以完成作業
3.如果每天運動　　　　　　小朋友就容易得近視
　　如果整天玩手機　　　　　就會更健康
　　如果飯後不刷牙　　　　　就容易蛀牙
4.如果今天出太陽，就可以晒棉被。

14、真的有火星人嗎？

◎文章結構
結果1：2✓
迴響：火星人
解決2：更新、更清楚
結果2：小土山
結論：2✓

◎生字學習
認：認，認，言、刃、心，認，認
誌：誌，誌，言、士、心，誌，誌
船：船，船，舟、儿、口，船，船
航：航，航，舟、亢，航，航
斷：斷，斷，幺、幺、一、幺、幺、㇌、
斤，斷，斷

總：總，總，糸、囪、心，總，總
維：維，維，糸、佳，維，維

◎語詞學習
1.閃爍　2.錯覺　3.引人注目　4.傳說
5.討論

1.引人注目　2.傳說　3.日以繼夜
4.閃爍　5.錯覺

◎語詞複習

拍	困	更	新	激	不	錯	閃	千	火
火	攝	思	星	錯	注	可	更	說	大
閃	覺	不	成	覺	議	激	上	議	膽
業	爍	可	成	火	星	傳	新	議	精
傳	說	以	千	隔	光	日	以	繼	夜
夜	錯	法	上	趕	離	說	覺	法	常
目	必	芒	萬	引	人	注	目	葉	千
人	須	可	促	感	日	爍	萬	光	覺
境	引	討	論	人	不	注	成	芒	成

◎閱讀理解
1.(4)　2.(3)　3.(3)　4.(1)　5.(2)

◎寫作訓練
1.(？)(。)
2.(？)
3.(，)(？)
4.(，)(。)
5.(，)(？)

晨讀 10 分鐘系列 035

[小學生]
晨讀10分鐘
漫畫語文故事集
故事文本篇【練習本】

作者｜曾世杰、陳淑麗、蘇春華、賴玡瑛
繪圖｜章 1、2、3、4、6、8、9、12、13、14 胡覺隆；
　　　章 5、7、10、11 呂家豪；封面及其餘插圖林家蓁

責任編輯｜楊琇珊
封面、版面設計｜林家蓁
電腦排版｜中原造像股份有限公司
行銷企劃｜陳雅婷

天下雜誌群創辦人｜殷允芃
董事長兼執行長｜何琦瑜
媒體暨產品事業群
總經理｜游玉雪
副總經理｜林彥傑
總編輯｜林欣靜
行銷總監｜林育菁
主編｜李幼婷
版權主任｜何晨瑋、黃微真

出版者｜親子天下股份有限公司
地址｜臺北市 104 建國北路一段 96 號 4 樓
電話｜（02）2509-2800　　傳真｜（02）2509-2462
網址｜www.parenting.com.tw
讀者服務專線｜（02）2662-0332　　週一～週五：09:00~17:30
讀者服務傳真｜（02）2662-6048
客服信箱｜parenting@cw.com.tw
法律顧問｜台英國際商務法律事務所‧羅明通律師
製版印刷｜中原造像股份有限公司
總經銷｜大和圖書有限公司　　電話：（02）8990-2588

出版日期｜2020 年 6 月第一版第一次印行
　　　　　2024 年 1 月第一版第八次印行
定價｜200 元
書號｜BKKCI011P
EAN｜4717211027561

訂購服務
親子天下 Shopping｜shopping.parenting.com.tw
海外‧大量訂購｜parenting@cw.com.tw
書香花園｜台北市建國北路二段 6 巷 11 號　　電話｜（02）2506-1635
劃撥帳號｜50331356 親子天下股份有限公司

立即購買 >